Alleen tegen de wereld

Somaly Mam
In samenwerking met Ruth Marshall

Alleen tegen de wereld

Vertaald door Mireille Vroege

ARENA

Oorspronkelijke titel: *The Road of Lost Innocence*
© Oorspronkelijke uitgave: 2008 by Virage Press
© Nederlandse uitgave: Arena Amsterdam, 2009
© Vertaling uit het Engels: Mireille Vroege
Omslagontwerp: Studio Jan de Boer, Amsterdam
Foto omslag: Corbis
Typografie en zetwerk: CeevanWee, Amsterdam
ISBN 978-90-8990-089-0
NUR 302

Statistieken tonen aan dat er in Cambodja op z'n minst tussen de 40.000 en 50.000 seksslavinnen zijn. Men kan ervan uitgaan dat minimaal 1 op de 40 meisjes die in Cambodja worden geboren, als seksslavin zal worden verkocht.

Rapport uit 2005 van Future Group, een Canadese niet-gouvernementele organisatie

In 1986, toen ik als prostituee aan een bordeel werd verkocht, was ik een jaar of zestien. Tegenwoordig zijn er veel jongere prostituees in Cambodja. In elke grote stad worden maagden te koop aangeboden, en om zeker te weten dat deze meisjes maagd zijn, zijn ze soms pas vijf of zes jaar oud.

In Cambodja en in heel Zuidoost-Azië worden jaarlijks tienduizenden minderjarige kinderen gedwongen zich te prostitueren. Ze worden verkracht en geslagen, vaak jaren achtereen. Velen vinden de dood.

Ik draag dit boek op aan de duizenden meisjes die jaarlijks als prostituee worden verkocht.

Inhoud

Voorwoord

Dit zou een tragisch verhaal kunnen zijn, en dat is het in alle opzichten ook.

Toch is het in mijn ogen ook – en misschien wel vooral – het inspirerende en prachtige verhaal van een moedige vrouw.

Dagelijks worden er over de hele wereld vrouwen en kinderen verkocht om in de prostitutie te werken. Dit is een moderne vorm van slavernij, en net zo verschrikkelijk als slavernij altijd al is geweest.

De openhartige autobiografie van Somaly Mam speelt zich voornamelijk af in Cambodja, maar mensenhandel, verkrachting, moord en de gewelddadige uitbuiting van vrouwen en kinderen doen zich over de hele wereld voor. Het gebeurt in Europa en, ja, het gebeurt ook in Nederland.

U en ik willen daar misschien liever de ogen voor sluiten, maar daarmee veranderen we niets aan deze weerzinwekkende werkelijkheid.

Er valt onmogelijk vast te stellen hoeveel mensen er jaarlijks precies worden verkocht en worden gedwongen in de prostitutie te werken, maar de aantallen die in een groot VN-rapport uit februari 2009 over mensenhandel worden genoemd, zijn ronduit verbijsterend en vormen een schrikbarend bewijs van het algehele gebrek aan juridische actie en implementatie van humanitaire wetten die wel overal ter wereld al bestaan.

De meeste slachtoffers van mensenhandel zijn slachtoffers van seksuele uitbuiting. Het zijn vooral vrouwen, en onder hen zijn weer veel kinderen.

Sommigen worden door hun eigen ouders, zussen, broers, grootouders, tantes of ooms als prostituee verkocht. Anderen worden bij hun familie weggelokt onder het voorwendsel dat ze ergens anders een baan kunnen krijgen, die ze hard nodig hebben. En sommigen worden gewoonweg ontvoerd. Hun wacht allemaal hetzelfde lot: ze worden verkocht als een stuk vee en nog slechter dan dat behandeld.

We kunnen ervoor kiezen om deze mondiale tragedie, deze wrede, voortschrijdende misdaad te negeren. Maar Somaly Mam heeft die keuze niet. Zij kan niet doen alsof er niet dagelijks over de hele wereld vrouwen en kinderen worden verkocht, geterroriseerd en vermoord. Want zij weet wel beter. Haar slapeloze nachten en de littekens op haar lichaam herinneren haar er voortdurend aan.

Ze werkt onvermoeibaar door om zo veel mogelijk slachtoffers van misbruik en mensenhandel te redden, maar dat kan ze niet in haar eentje. Ze wil dat wij er ook anders over gaan denken. Ze wil dat wij de mentaliteit van onze jongens en mannen veranderen, zodat ze het niet meer de gewoonste zaak van de wereld vinden om vrouwen en kinderen voor hun eigen plezier te mishandelen en misbruiken. Ze wil dat vrouwen anders gaan aankijken tegen hen die datgene vertegenwoordigen wat ook hun had kunnen overkomen. Ze wil dat regeringen wetten handhaven die al in het leven zijn geroepen. En ze wil dat we allemaal opkomen voor mensen die niet voor zichzelf kunnen opkomen. Omdat zij hun mond moeten houden om in leven te blijven, omdat zij niet weten dat ze ook rechten hebben, of omdat het al te laat is.

Jarenlang heeft zwijgen voor Somaly Mam gelijkgestaan aan overleven. Nu redt ze met haar moeizaam verworven moed om haar stem te laten horen duizenden vrouwen wier leven verwoest is. Met dit doel voor ogen heeft ze dit persoonlijke, openhartige boek geschreven, dat je met een brok in je keel in één ruk uitleest.

Het verhaal van Somaly Mam is het relaas van de laagste vorm van menselijke verdorvenheid, maar het is ook een getuigenis van verzet en van hoop. Ze heeft zichzelf uit een put van ellende getild en de vastbeslotenheid en veerkracht gevonden om andere mensen te redden.

Somaly Mam is mijn kandidaat voor de Nobelprijs voor de Vrede. Ze is het levende bewijs dat één vrouw wel degelijk het lot van anderen kan veranderen.

En dat kunt u ook.

Ayaan Hirsi Ali
Februari 2009

1

Het bos

Ik heet Somaly. Althans, zo heet ik nu. Net als iedereen in Cambodja heb ik verschillende namen gehad. Namen zijn het gevolg van tijdelijke keuzes. Als je een ander leven gaat leiden, neem je een andere naam. Als kind heette ik Ya, en soms gewoon Non – 'Kleintje'. Toen ik door de oude man uit het bos werd weggehaald, heette ik Aya, en toen we een grens overstaken, zei de bewaker een keer dat ik Viriya heette – ik weet niet goed waarom. Ik ben eraan gewend geraakt dat mensen me verschillende namen geven – meestal beledigende namen. Jaren later gaf een vriendelijke man die zei dat hij mijn oom was, me de naam Somaly: 'De bloemenketting die in het maagdelijke woud verloren is.' Dat vond ik mooi; ik vond de naam passen bij het beeld dat ik van mezelf had. Toen ik eindelijk zelf kon kiezen, besloot ik die naam te houden.

Ik zal nooit weten hoe mijn ouders me genoemd hebben. Ik heb helemaal niets van hen, ik herinner me niets van hen. Mijn adoptievader heeft me een keer dit typerende Khmer-advies gegeven: 'Je moet niet proberen te achterhalen wat er in het verleden is gebeurd. Je moet jezelf geen pijn doen.' Ik vermoed dat hij weet wat er echt is gebeurd, maar hij heeft het er nooit met me over gehad. Het beetje dat ik weet heb ik aan de hand van vage herinneringen en met wat hulp van de geschiedenis gereconstrueerd.

Mijn eerste levensjaren heb ik in het glooiende landschap

van Noordoost-Cambodja doorgebracht, omringd door savanne en bossen, niet ver van de hoogvlakte van Vietnam. Tot op de dag van vandaag voel ik me in een bos meteen thuis. Ik herken geuren. Ik herken planten. Ik weet intuïtief wat je kunt eten en wat giftig is. Ik herinner me de watervallen. Ik kan het geluid nog in mijn oren horen. Als kind gingen we bloot onder het neerstortende water staan en deden we wie het langst zijn adem kon inhouden. Ik herinner me de geur van het maagdelijke woud. De herinnering aan dat oord ligt diep in mij begraven.

De mensen van Bou Sra, het dorp waar ik geboren ben, heten de Phnong. Zij zijn een oude bergstam, heel anders dan de Khmer die de baas zijn in de laaglanden van Cambodja. Ik heb de donkere huid van de Phnong van mijn moeder geërfd. Cambodjanen vinden die zwart en lelijk. In het Khmer betekent het woord Phnong 'woest'. In heel Zuidoost-Azië zijn de mensen erg gevoelig voor huidskleur. Hoe lichter je bent, hoe dichter bij 'de kleur van de maan', hoe hoger je in aanzien staat. Een mollige vrouw met een blanke huid is het toonbeeld van schoonheid en aantrekkelijkheid. Ik was donker en mager, en heel onaantrekkelijk.

Ik ben ergens rond 1970 of 1971 geboren, toen de onlusten in Cambodja begonnen. Mijn ouders hebben me toen ik nog heel klein was bij mijn grootouders van moederskant achtergelaten. Misschien wilden ze op zoek naar een beter leven, of misschien werden ze wel gedwongen om weg te gaan. Voor ik vijf jaar werd, hadden de Amerikanen een bommentapijt over het land uitgeworpen. Daarna kwam het land in de greep van het moordzuchtige regime van de Rode Khmer van Pol Pot. De vier jaar dat het Rode Khmer-bewind heeft geduurd, van 1975 tot 1979, waren verantwoordelijk voor de dood van een op de vijf mensen in Cambodja, door executie, honger of dwangarbeid. Tijdens de stormachtige gebeurtenissen werden ontelbaar veel anderen gewoonweg uit hun dorp en bij hun familie weggerukt, zonder ook maar een spoor achter te laten. Mensen werden overgeplaatst naar werkkampen, waar ze als slaven moesten zwoegen, of ze werden gedwongen om voor het regime te vechten. Er zijn tal van redenen waarom mijn ouders het bos ontvlucht zouden kunnen zijn.

Het verhaal dat ik mezelf graag voorhoud is dat mijn ouders en grootmoeder altijd het beste met mij hebben voorgehad. Bij de Phnong wordt de etnische identiteit door de afstamming van de moeder bepaald. Dus ondanks het feit dat mijn vader een Khmer was, hoorde ik, toen mijn ouders weggingen, bij de Phnong in de provincie Mondulkiri. Niet lang daarna zou ook mijn oma verdwijnen; dat was al zo snel dat ik geen blijvende herinnering aan haar heb overgehouden. Bergmensen vertrekken om de minste geringste reden, zodra iets hun niet bevalt. Niemand verwachtte een verklaring, en al helemaal niet in die moeilijke jaren. Dus toen mijn oma het bos verliet, wist niemand waar ze naartoe ging. Ik geloof niet dat ik in de steek gelaten ben – ze dacht waarschijnlijk dat het dorp voor mij de veiligste omgeving zou zijn. Ze had nooit kunnen weten dat het bos niet lang meer mijn thuis zou zijn.

Ons dorp bestond uit hooguit een stuk of tien ronde hutten die op een open plek in het bos bij elkaar stonden. De hutten waren gemaakt van gevlochten bamboe en hadden een strodak dat zich laag bij de grond bevond. De meeste families woonden in één grote hut zonder scheidingswand tussen het gezamenlijke slaapgedeelte en het kookgedeelte. Andere families waren meer op zichzelf. Aangezien ik geen ouders of andere familie in het dorp had, sliep ik in m'n eentje in een hangmat. Ik leefde als een kleine wilde. Ik sliep nu eens hier, dan weer daar, en at mee waar ik maar iets kreeg. Ik was overal en nergens thuis. Ik herinner me niet dat er ook andere kinderen alleen tussen de bomen sliepen, zoals ik. Misschien heeft niemand me in huis genomen omdat ik van gemengd ras was – gedeeltelijk Phnong en gedeeltelijk Khmer. Of misschien heb ik dat besluit gewoon zelf genomen. Het is in Cambodja helemaal niet vreemd om een weeskind te zijn. Het is zelfs angstaanjagend normaal.

Over het algemeen was ik niet ongelukkig, maar ik herinner me wel dat ik het voortdurend koud had. In erg koude of regenachtige nachten maakte een vriendelijke man, ene Taman, een plekje voor me vrij in zijn huis. Hij was een Cham, een islamitische Khmer, maar zijn vrouw was een Phnong. Ik weet niet meer hoe ze heette, maar ik vond haar heel mooi, met haar lange zwarte haar dat ze met een bamboestokje opstak, haar hoge jukbeenderen en een ketting van glanzend zwart hout en dierentanden. Ze was aardig voor me. Soms probeerde ze mijn lange haar te wassen; dan wreef ze er de as van een speciaal kruid in om het schoon te maken, en oliede het vervolgens met varkensvet. Tot slot kamde ze het uit met haar vingers, terwijl ze er een liedje bij zong. Ze had een ingewikkeld geweven zwart-met-rode doek om haar middel. Sommige vrouwen liepen met blote borsten, maar de vrouw van Taman hield die van haar bedekt.

Taman droeg net als de andere mannen een lendendoek, waaronder zijn billen bloot waren. De mannen droegen kralensnoeren en bogen op hun rug, en hun oorlellen waren met dikke staafjes hout doorboord.

De kinderen liepen meestal bloot rond. We speelden, of we hielpen kleding te maken uit dikke, platte bladeren, omwikkeld met ranken. Tamans vrouw zat uren achtereen te weven, zittend op de vloer met haar benen voor zich uit gestrekt en met het weefgetouw van bamboe aan haar voeten vastgebonden.

Haar tanden waren puntig gevijld. Als Phnong-meisjes

vrouw worden, vijlen ze hun tanden en maken die zwart, maar voordat voor mij het moment gekomen was om mijn tanden te vijlen, was ik allang het dorp uit.

Ik was altijd op zoek naar een moeder, die me in haar armen kon houden, kon kussen, kon aaien, zoals de vrouw van Taman bij haar kinderen deed. Ik was heel verdrietig omdat ik geen moeder had zoals alle andere kinderen. De enigen die ik in vertrouwen kon nemen waren de bomen. Ik praatte tegen ze en vertelde over mijn verdriet. Ze luisterden, begrepen me en gaven me discreet tekens. Zij waren mijn enige echte vrienden, samen met de maan. Als het me allemaal te veel werd, vertelde ik mijn geheimen aan de watervallen, want water kon zijn stroom niet keren en me verraden. Tot op de dag van vandaag praat ik soms nog tegen bomen. Maar verder zei ik als kind niet veel. Dat zou toch geen zin hebben gehad – er luisterde toch niemand naar me.

Ik zocht mijn eigen eten bijeen. Ik struinde het bos af en at wat ik maar kon vinden: vruchten, wilde groente en honing. Er waren ook veel insecten, zoals sprinkhanen en mieren, die je kon eten. Vooral mieren vond ik lekker. Ik weet nog steeds waar ik moet zoeken om vruchten en bessen te vinden, en ik weet ook nog steeds dat je bijen kunt volgen en dat je dan hun honing vindt. En ik weet nog dat je naar de grond moet kijken, omdat daar paddenstoelen staan, maar ook omdat daar slangen kunnen zijn.

Als ik een dier ving bracht ik dat naar de vrouw van Taman, die het dan bereidde. Ze gaarde het vlees onder een laag as, omdat as van nature zout is. Soms droogde ze stukjes vlees in buffelmest, vermengde ze met bittere kruiden en rijst en kookte die dan boven het vuur. De eerste keer dat ik als volwassene in het dorp terugkwam, bijna vijfentwintig jaar later, kreeg ik dat gerecht weer, en toen heb ik me er helemaal misselijk aan gegeten.

Het berggebied in de streek Mondulkiri was niet geschikt om rijst te verbouwen, dus het hele dorp moest samenwerken om voedsel te verbouwen. Het bos moest afgebrand worden om rijstvelden te kunnen aanleggen. Het bos moest om de paar jaar afgebrand worden om rijst te kunnen verbouwen, en dan waren we genoodzaakt om steeds verder weg te trekken om goede grond te zoeken. Het waren enorme afstanden, vooral voor mijn kleine beentjes, en soms moesten we dagen achtereen lopen. We hadden geen karren of werkdieren, zoals de Khmer op hun overstroomde rijstvelden hadden. Alles wat we mee terug naar het dorp brachten, moesten we zelf dragen.

Als de rijst geoogst was, kwamen de mensen uit een paar dorpen rond een vuur samen om dat te vieren. Dan offerden we een buffel aan de geesten die in het bos woonden en dansten we op het ritme van metalen gongs. Er werd dan eindeloos getafeld en heel veel rijstwijn gedronken. Ik herinner me nog hoe reusachtig de aardewerken kruiken waren, bijna net zo hoog als ik zelf was. We dronken de wijn zo uit de kruik, een voor een; we zogen hem door een rietje van bamboe op. Zelfs kinderen mochten ervan drinken. Ik weet nog dat de mensen bij die feestelijke gelegenheden heel aardig tegen de kinderen waren. De Phnong zijn lief voor kinderen – heel anders dan de Khmer.

Onze heuvels waren zo afgelegen dat er waarschijnlijk nog nooit een dokter of verpleegster was geweest. Er waren in elk geval geen scholen. Ik heb er nooit een boeddhistische of christelijke predikant gezien. En hoewel mijn jeugd met het regime van de Rode Khmer samenviel, kan ik me ook niet herinneren dat ik er ooit een soldaat heb gezien.

De Rode Khmer had bepaald dat bergvolkeren zoals de Phnong 'kernvolkeren' waren. Wij waren het goede voorbeeld voor andere mensen, omdat we niet in contact waren geweest met westerse gebruiken en omdat we in een gemeenschap leefden. Ons bos en onze heuvels beschermden ons tegen de ellende waar de rest van Cambodja toen ik heel jong was door overspoeld werd.

Pol Pot had in het hele land het geld afgeschaft, en ook schooldiploma's, motorfietsen, brillen, boeken en andere aspecten van het moderne leven. Maar ik geloof niet dat dat de reden was waarom wij geen geld hadden. De Phnong hadden gewoon nooit geld nodig. Als de volwassenen iets wilden hebben wat we niet konden maken of verbouwen, of waar we niet op konden jagen, dan ruilden ze het ergens voor. Als we een kool wilden, vroegen we die aan een buurman die er een paar in zijn tuin had staan. Dan gaf hij ons een kool, zonder er iets voor terug te vragen. Nu is dat heel anders: in het weekend of in de vakantie komen de mensen uit Phnom Penh in hun grote terreinwagens en met hun zakken vol geld.

Op een dag – ik was een jaar of negen, tien – riep Taman me in zijn hut en stelde me voor aan een vreemdeling. Deze man was net als Taman een Cham-moslim. Hij was heel lang en gespierd, met een smalle neus, net als Taman, en een lichte huid. Ik denk dat hij zo rond de vijfenvijftig was, wat in Cambodja heel oud is. Taman vertelde me dat deze man uit dezelfde streek kwam als mijn vader. Hij noemde de man 'grootvader' – dat doen alle Cambodjanen als teken van eerbied jegens oude mannen. Hij vertelde me dat deze grootvader mij, als ik met hem meeging, naar de provincie van mijn vader zou brengen en me zou helpen mijn familie te zoeken.

Misschien dacht Taman echt dat deze grootvader me onder zijn hoede zou nemen. Misschien dacht hij echt dat deze Cham-man me zou helpen de familie van mijn vader te zoeken. Misschien was hij ervan overtuigd dat ik beter in de laagvlakte kon wonen, met een volwassene die voor mij zorgde.

Of misschien heeft hij me aan deze man verkocht en wist hij heus wel dat ik in het beste geval zijn bediende zou worden.

Ik heb heel vaak geprobeerd om Taman te vinden, om te begrijpen wat voor reden hij hiervoor gehad heeft, maar ik heb sindsdien wel geleerd dat je er nooit echt achter komt wat mensen beweegt.

Aanvankelijk mocht ik deze grootvader graag en vond ik het leuk om met hem mee te gaan. In mijn korte leventje hadden nog niet veel mensen aangeboden om voor mij te zorgen. Ik dacht dat deze man mijn echte grootvader was, iemand die me zou adopteren en van me zou houden. Ik dacht dat hij wist waar mijn ouders waren. Ik pakte een bundeltje spullen bij elkaar, met een tuniek die Tamans vrouw voor me had gemaakt, een houten ketting en een korte zwart-met-rode doek met groen borduursel erop.

We gingen op pad. We liepen een hele tijd, over paden die ons steeds verder weg voerden van de plekken die ik kende. Hij was niet erg spraakzaam, maar ja, dat was ik ook niet. Hij sprak maar heel weinig Phnong en we waren genoodzaakt om met behulp van rudimentaire gebaren te communiceren.

We kwamen bij een plek waar mensen rond een reusachtige vrachtwagen met boomstammen krioelden. Ik had nog nooit zoiets groots, zoiets angstaanjagends gezien. Geen denken aan dat ik net als alle andere mensen op de boomstammen zou klimmen – ik vond de vrachtwagen doodeng. Ik had nog nooit zelfs maar een fiets gezien, laat staan een gemotoriseerd voertuig.

Ik deinsde achteruit, maar grootvader keek me boos aan en hief dreigend zijn hand op. Ik begreep dit gebaar niet – ik was nog nooit geslagen – maar ik zag wel dat zijn gezicht veranderd was, dat het ruw en boos stond, en dat boezemde me nog meer angst in dan de vrachtwagen. Toen sloeg hij me hard tegen mijn wang, waardoor ik op de grond viel. Mijn wang

bloedde, maar hij trok me omhoog en zette me op de vrachtwagen.

Toen wist ik dat ik de verkeerde keus had gemaakt, dat deze
slechte man mijn grootvader niet was en dat hij nooit van me
zou houden. Maar ik kon al niet meer terug.

2

Het dorp

Toen de vrachtwagen met boomstammen ons had afgezet, stapten we over op een soort militaire vrachtwagen met soldaten erin. Daarna reden we soms op een kar die door een paard werd getrokken. Overal waren mensen. Een reusachtige verandering had praktisch iedereen in Cambodja weer op de been gebracht. Het jaar daarvoor, in 1979, was de communistische regering van Vietnam, nadat de Rode Khmer vier jaar lang zijn grenzen had aangevallen, Cambodja binnengevallen. Nadat de Vietnamezen de Rode Khmer hadden verslagen, hadden ze een nieuwe regering geïnstalleerd en de uitgehongerde, doodsbange mensen trokken uit alle hoeken van het land weer terug naar hun geboortedorp. Ten tijde van mijn reis krioelde het land nog van de zich verplaatsende mensen.

Daar wist ik toen natuurlijk niets van, maar ik vond de mensenmassa's fascinerend. De wegen. De motorfietsen. Al dat lawaai. De mensen zagen er mooi uit, met een heel bleke huid en prachtige kleren. Er waren markten met vorken, flessen, touw, schoenen, lucifers, sigaretten, medicijnen, cosmetica, radio's, en wapens – allemaal spullen die ik nog nooit had gezien. Er was heel veel metaal, en heel veel kleur.

We reisden in zuidoostelijke richting, de grens met Vietnam over, hoewel het concept 'Vietnam' – of zelfs 'Cambodja' – mij toen nog helemaal niets zei. Grootvader leverde een partij sandelhout uit een bos af bij een handelaar in Da Lat, op de hoogvlakte van Zuid-Vietnam, in de richting van Saigon, en begon toen met omtrekkende bewegingen terug te reizen.

Op een dag zag ik een groep Vietnamese meisjes in witte tuniek en broek, als een heel grote zwerm witte vogels. Ik keek ademloos toe. Ik denk dat ze net uit school kwamen, maar ik had geen idee wat school was, en ook niet dat ik daar misschien naartoe kon. Ik zag wel dat het meisjes waren, maar in mijn ogen waren het eerder engelen.

Overal waar ik kwam schrok ik van de manier waarop mensen tegen elkaar schreeuwden. In Vietnam werd ik met veel minachting behandeld: een vies meisje met een donkere huid en met niet meer hersenen dan een stuk hout. Ze duwden me, ze schreeuwden tegen me, ze beledigden me.

Ik wist niets en ik vroeg niets. Ik hield gewoon mijn mond. Alles was onbekend en gevaarlijk. Toen grootvader Vietnamese miesoep voor me kocht, probeerde ik de lange glibberige slierten met mijn handen te eten, hoewel de soep kokend heet was.

Toen we terug naar het noorden reisden, in de richting van de Mekong-rivier, zag ik het platte land, met rijstvelden zover het oog reikte. Zoiets had ik nog nooit eerder gezien. Ik vond het er maar leeg uitzien – net zo leeg als ik me voelde. Ik had een missie in dit vijandige platte land – mijn ouders zoeken – maar ik wist niet meer zeker of dat wel zou lukken.

De weg verdween op een gegeven moment in het aanzwellende water van de Mekong-rivier. Het regenseizoen was in aantocht. We gingen aan boord van een grote veerboot met twee verdiepingen, die stampvol mensen en dieren zat. We kwamen aan bij een Cambodjaans dorp op de oever. Er stonden houten huizen op palen, een stuk of veertig, en rode onverharde paadjes liepen om de velden heen en het bos in. Dit was Thlok Chhrov, het 'Diepe Gat', zo genoemd omdat de oevers van de Mekong hier uitzonderlijk steil zijn.

Grootvader had een huis in Thlok Chhrov, een eindje van de rivier af, gemaakt van gevlochten palmbladeren en palmboomstammen, met een vloer van bamboe. Hij kwam niet uit dit dorp en ik weet ook niet wanneer of waarom hij daar was gaan wonen. Hij had geen vrouw of familie. Hij sprak Cham, Khmer, Vietnamees en een vorm van Chinees, maar niemand wist waar hij vandaan kwam. Misschien had hij het tijdens de verschrikkelijke jaren van het Rode Khmer-regime ook zwaar gehad.

Het huis van grootvader was klein en krakkemikkig, viel half omver, en had één kamer met in de hoek een slaapbrits en met buiten een houtskoolkomfoor. Het was mijn taak om schoon te maken, te koken, water uit de rivier te halen en de kleren te wassen. Hij ramde er een paar woorden Cham bij me in, zodat ik zijn bevelen kon begrijpen.

Ik was zijn hulpje in de huishouding. Sommige dingen zijn in Cambodja heel gewoon. Het deed er niet toe dat grootvader me van Taman had gekocht. Nu was ik er, en hij gaf me te eten en gaf me onderdak. Ik moest hem dienen. Ik moest gehoorzaam zijn.

Ik leerde al snel genoeg Khmer om de beledigingen te begrijpen die de dorpsbewoners me nariepen, omdat ik de enige Phnom in het dorp was. Ik had geen vader, ik was zwart en lelijk. Net als de meeste Khmer beschouwen de mensen in Thlok Chhrov ons, de Phnong, als barbaren die verschrikkelijk gewelddadig zijn. Sommigen zeggen zelfs dat we kannibalen zijn. Dat is natuurlijk helemaal niet waar. De Phnong zijn eerlijke mensen die hun woord houden en vredelievend zijn – tenzij ze natuurlijk door aanvallen van de Khmer uitgelokt worden. Ze slaan en mishandelen hun kinderen niet, zoals alle dorpsbewoners in Thlok Chhrov wel doen. Daar schrok ik van.

De Khmer mogen ons dan voor kannibalen uitmaken, maar wij, Phnong, beschouwen hen als verraderlijke slangen die nooit in een rechte lijn bewegen en die je kwaad doen, zelfs als ze niet op eten uit zijn.

Hoewel grootvader moslim was gokte hij vaak. Waar hij ook naartoe ging, hij had altijd zijn houten schaaksetje bij zich, in een doek gewikkeld. Hij rookte sigaren van opgerolde tabaksbladeren en dronk elke avond rijstwijn. Als hij niet genoeg geld had voor drank, kreeg hij een harde blik in zijn ogen. Dan moest ik neerknielen en sloeg hij me met een lange, harde bamboestok die in mijn vlees sneed. Bij elke klap bloedde ik.

Ik leerde bang te zijn en te gehoorzamen. Ik moest van grootvader voor andere mensen werken om geld voor hem te verdienen. Elke ochtend moest ik voor verschillende dorpsbewoners water halen uit de rivier. In het begin lukte het me bijna niet om met de zware emmers aan een stok over mijn schouders tegen de steile rivieroever op te klimmen. Dan gleed ik uit en viel ik, en de zinken emmers sneden in de achterkant van mijn benen. Soms raakten die wonden ontstoken en dan kon ik bijna niet lopen.

's Avonds moest ik met behulp van stenen rijst tot bloem vermalen, en daar moest ik dan noedels van maken voor het avondeten. Zo ging dat in die tijd. Als je genoeg rijst had was je rijk. Wij hadden vaak niet genoeg rijst. Als dat aan de hand was, doorzochten grootvader en ik het voedsel dat de andere dorpsbewoners voor hun varkens buiten hadden neergegooid.

Grootvader verhuurde mij overdag vaak als arbeidskracht. Dan werkte ik op de rijstvelden in de buurt van de rivier. In het droge seizoen herstelden we de kleimuurtjes die het water binnenhielden, en als de rivier begon te stijgen, plantten we zaailingen.

Soms kwamen er mannen en jongens uit het bos die ons hielpen de rijst te oogsten. Dat waren strijders van de Rode Khmer. In die tijd waren er nog grote groepen soldaten op het platteland. Er was een nieuwe regering aan de macht die door Vietnam werd gesteund, maar de Rode Khmer was niet van de ene op de andere dag verdwenen. In plaats daarvan hield het leger van Pol Pot zich schuil.

Lange tijd deden zich op het platteland heel veel schermutselingen voor tussen het door Vietnam gesteunde regeringsleger en de strijders van de Rode Khmer. In Thlok Chhrov hoorden we vaak geweersalvo's en exploderende landmijnen, en we zagen soldaten of strijders van de Rode Khmer door het dorp rennen. Als dat gebeurde, vluchtten alle dorpsbewoners hun huis in. Ze waren doodsbang.

Op een keer ging een jongen die vaak samen met mij op het veld werkte – en die niet helemaal goed bij zijn hoofd was – toen de avond viel een buffel zoeken, hoewel er die dag zwaar geschoten was. De volgende ochtend vonden we zijn lichaam. Zijn hoofd was eraf gehakt en in het struikgewas langs het pad gerold.

Ik weet niet welke kant hier verantwoordelijk voor was – de Rode Khmer of de door Vietnam gesteunde regering – en ik begreep het verschil ook niet goed. In die tijd praatte niemand in Cambodja. Niemand wilde het over de moorden, hongersnood en dodenkampen hebben die ze net vier jaar lang onder de Rode Khmer hadden moeten verdragen, en niemand wilde erover praten dat we nu door Vietnam bezet waren. Ze spraken nooit over de tijd van Pol Pot, over de jaren van hongersnood en moordpartijen. Het was net alsof ze uitgevlakt waren.

De mensen leerden van die jaren dat ze niemand konden vertrouwen: vrienden niet, buren niet en zelfs hun eigen familie niet. Hoe meer mensen over je wisten – hoe meer je vertelde – hoe meer je jezelf blootstelde aan gevaar. Het ging erom dat je niets zag, niets hoorde en niets wist over wat er gaande was. Deze houding ten aanzien van het leven is typisch Cambodjaans.

Ik heb nooit meegemaakt dat ouders dingen aan hun kinderen uitlegden. Ze zeggen wat voor werk ze moesten doen en ze sloegen hen. Veel kinderen werden elke dag geslagen – ik ook – en sommigen waren veel jonger dan ik. Vooral de vrouwen deelden in die gevallen de slaag uit. Mannen sloegen minder vaak, maar als ze het deden was het wel veel gevaarlijker, omdat ze veel sterker waren.

Ik droomde dat ik grootvader vermoordde, maar het kwam nooit in me op om weg te lopen en te proberen de weg terug naar het bos te vinden. Dat deel van mijn leven was voorgoed afgelopen – op de een of andere manier leek het me niet mogelijk om terug te gaan. Ik had zijn ware aard ontdekt en ik haatte hem. Maar ik was van deze man, ook al hongerde hij me uit en deed hij me pijn. Ik was zijn eigendom. Hij beschuldigde me ervan dat ik hem ongeluk bracht. Sinds ik bij hem was, zei hij, ging het met zijn bedrijf allemaal verkeerd, en dat was mijn schuld.

Soms ging grootvader weg om een lange reis te maken en dan kreeg ik even adem. Maar meestal werkte hij niet; dan zat hij thuis, of hij gokte, en dan was het mijn taak om geld binnen te brengen. Als ik de vaat deed voordat ik nieuw water ging halen, sloeg hij me omdat er dan geen water was om te drinken; als ik nieuw water ging halen voordat ik de vaat deed, sloeg hij me omdat de vaat niet gedaan was. Soms huilde ik, maar ik raakte eraan gewend om mijn emoties te neutraliseren. Op wie kon ik terugvallen? Mensen leken het normaal te vinden dat ik geslagen werd, aangezien ik zijn kleine, zwarte wilde was, de laagst geplaatste persoon van het hele dorp.

De meeste mensen voor wie ik water haalde hadden nooit een vriendelijk woord voor me over. Ze waren alleen maar boos als ik laat was of als ik een beetje water had gemorst. Maar één oude vrouw die in haar eentje woonde, was aardig voor me. Ze verzorgde mijn kapotte voeten altijd. Op een dag gaf ze me een paar blauwe rubberen teenslippers – mijn eerste schoenen. Ze schuurden naar tussen mijn tenen en ze waren erg versleten: in de zolen zaten twee grote gaten en ze waren zo dun dat de doorns er zo doorheen staken. Maar het waren schoenen en in mijn ogen was dat heel wat.

Zo nu en dan maakte ik een praatje met haar. Ik vroeg haar waarom de Cambodjanen zo gemeen tegen de 'zwarte wilden' deden, waarom ze zeiden dat we kannibalen waren. Toen ik met die zogenaamde wilden in mijn dorp woonde, had nog nooit iemand me geslagen, maar in Thlok Chhrov sloegen de dorpsbewoners hun kinderen om het minste geringste. Wie waren hier nou de wilden?

Ik weet nog hoe ongelukkig ik me voelde tijdens dat eerste droge seizoen in Thlok Chhrov. Reusachtige bergen rijststengels lagen in hooimijten opgetast, en ik groef er gaten in en maakte holletjes, waar ik me voor grootvader kon verstoppen. Soms sliep ik er ook. Het was er donker en beschut, en ik voelde me er veilig.

Na een paar maanden vond ik een ander plekje waarheen ik kon vluchten. Een jongere jongen, die samen met mij op de rijstvelden werkte, ging altijd bij de onderwijzer thuis eten en nam mij ook mee. Mam Khnon, de dorpsonderwijzer, was arm, maar samen met zijn vrouw zorgde hij voor veel kinderen. Ze hadden zelf zes kinderen, maar ze gaven ook andere kinderen te eten, die op school zaten maar te ver weg woonden om elke dag terug naar huis te kunnen gaan. Er waren vaak wel twintig of meer kinderen in het huis. Het was een klein huis op palen, gemaakt van gevlochten bamboe, met maar één kamer. Iedereen sliep op de vloer, en in het droge seizoen sliepen de jongens beneden op de grond, op matjes die onder het huis lagen uitgespreid.

De vrouw van Mam Khon, Pen Navy, maakte taartjes die ze vervolgens verkocht, en soms kreeg ik er ook een. Ik hielp haar met koken en at soms mee. Ze gaf ons allemaal te eten, hoewel het gezin zo arm was dat ze vaak niet eens rijst hadden, maar alleen rijstsoep.

Pen Navy was vriendelijk, maar streng – een ruwe, autoritaire vrouw. Ze was half Chinees en had een heel lichte huid. Ik vond haar heel mooi. Toen we op een middag samen aan het werk waren, vroeg ze waarom ik niet naar school ging.

De dorpsschool was een klaslokaal in de openlucht met een rieten dak tegen de regen. Mam Khon en een andere onderwijzer waren de school begonnen nadat het Rode Khmer-regime was gevallen. Er waren hele horden lachende kinderen, allemaal in uniform: een donkerblauwe rok of broek en een witte bloes. Ik wilde er natuurlijk graag heen, maar ik kon me niet voorstellen dat grootvader me toestemming zou geven. Dat vertelde ik aan Pen Navy. Ik noemde haar 'tante' – als teken van respect. We hadden het er verder niet over. Het was ons allebei duidelijk dat grootvader het recht had om mij te verbieden naar school te gaan als hij dat wilde.

Mam Khon hing zelf als een geestverschijning boven het huishouden – hij was een vriendelijke, lieve man, maar hij zei zelden een woord. Op een dag trof hij me in tranen aan omdat de andere kinderen me uitgescholden hadden. Hij bukte zich – hij was een lange man met een krachtig gezicht en heldere, donkere ogen – en nam mijn gezicht in zijn handen. 'Je bent geen wilde,' zei hij. 'Je bent de dochter van mijn broer. Mijn broer is met een vrouw naar Mondulkiri gegaan en heeft daar een kind gekregen, en nu heb ik dat kind gevonden: dat ben jij.'

Ik wist niet of ik hem moest geloven of niet. Maar Mam Khon zei dat hij me voor school zou inschrijven en dat hij het wel met grootvader zou regelen. Grootvader gaf uiteindelijk toestemming en ik mocht naar school zolang het hem maar geen cent kostte. School was in die tijd gratis, omdat we onder het communisme leefden, dus hij bedoelde dat ik wel voor hem moest blijven werken en geld in het laatje moest brengen.

School duurde van 's ochtends 7.00 uur tot 11.00 uur. Als ik voor zonsopgang opstond om water te halen en geld thuis te brengen, kon ik me nog net op tijd wassen en aankleden om naar school te gaan. Toen ik daar aankwam, zei de collega van Mam Khon, meester Chai, een man met een donkere huid, verschrompeld en droog, dat ik me niet voor de eerste klas kon inschrijven; ik was al ouder dan tien jaar en dus veel te oud.

Mam Khon vertelde hem een verhaal om hem gerust te stellen. 'Ze is mijn dochter,' zei hij. 'Ik ben haar tijdens de onlusten kwijtgeraakt, maar nu heb ik haar weer gevonden. Ze is van mij.' Zo kreeg ik mijn naam: Mam Somaly. Mam, net als hij. En Somaly had hij voor me gekozen. Ik vond het een mooie naam.

Ik was heel trots op mijn schooluniform en waste en onderhield het altijd zorgvuldig. De rok en de bloes waren afdankertjes van de dochters van Mam Khon, maar ik vond ze mooi genoeg. Ik had eindelijk het gevoel dat ik erbij hoorde. Maar de anderen dachten daar niet zo over. De dorpskinderen noemden me 'khmao', een scheldwoord dat vergelijkbaar is met 'neger'.

In Thlok Chhrov gold dat hoe donkerder je was, hoe dommer ook – dat was een feit. Maar ik merkte dat dat niet waar was. Ik deed mijn best en leerde snel. Ik kon al snel rekenen en Khmer lezen en schrijven.

's Middags was er geen school, maar dan moesten we vaak lichamelijke arbeid verrichten: elke school moest een productieve kant hebben – een moestuin of een rijstveld. We plantten broodvruchtbomen en kokospalmen. Ik weet nog dat we een keer een enorme kuil op het schoolplein moesten graven voor een eendenvijver. Het was zwaar, smerig werk, maar wel leuk.

Soms deden we 's middags militaire oefeningen op het naburige veld, want op het platteland was nog steeds een oorlog gaande. De soldaten leerden ons hoe we een geweer moesten schoonmaken en vasthouden, hoe we moesten schieten en hoe we een handgranaat moesten gooien. We leerden hoe we een diepe kuil moesten graven met scherpe punten die uit de bodem omhoogstaken – om mannen te vangen – en hoe we die met grote, droge bladeren moesten bedekken.

Er deden zich ongelukken voor. Soms raakten er tijdens zo'n militaire training kinderen gewond. Eén keer heeft een handgranaat de voet van een jongen eraf geblazen. Ze hebben hem weggebracht, maar hij is toch doodgegaan. Dat was verdrietig, maar de mensen leken zich er niet veel van aan te trekken. De dood was willekeurig, normaal – het was aan de orde de dag, zodat één kind meer of minder ook niet echt uitmaakte.

Ik weet nog dat de onderwijzer ons een keer vroeg om alle erge dingen op te schrijven die ons onder de Rode Khmer waren overkomen. Ik had in het bos bij de Phnong gewoond – mij was onder Pol Pot niets overkomen, dus ik gaf mijn papier blanco weer terug. Deze onderwijzer was de collega van Mam Khon, meester Chai. Om me te straffen liet hij me een uur lang op mijn knieën in de zon zitten, op de stekelige, hard geworden schillen van gedroogde broodboomvruchten. Mijn knieën bloedden.

Maar verder waren er op school geen echte straffen. Ik ben

nooit vastgebonden en afgeranseld, zoals grootvader deed als hij dronken en platzak was.

Als we militaire oefeningen deden, nam ik altijd de rol van de Rode Khmer op me, omdat ik wilde dat iedereen bang voor me was. Ik had aan iedereen een hekel – niet alleen aan de kinderen uit mijn klas, maar aan alle Khmer. Maar ik had geen hekel aan de strijders van de Rode Khmer die soms uit het bos kwamen om ons met de oogst te helpen, en ik had ook geen hekel aan de regeringssoldaten die ons lesgaven. De soldaten gaven ons wel eens iets te eten; ze hadden melk en suiker in hun rantsoen. Er zijn tijden geweest dat ik mijn ziel nog voor een glas melk had verkocht.

Na ongeveer een jaar werd het beter. Ik had een nieuwe beste vriend, Pana, een jongen die ook op de velden werkte en in een dorp verderop woonde. We liepen altijd samen naar huis, hoewel hij verder moest lopen dan ik. Op een dag was ik net bij het huis van Mam Khon aangekomen toen we een enorme explosie hoorden uit de richting die Pana was ingeslagen. Mam Khon zei dat ik zijn fiets moest pakken en daarop reed ik naar Pana's huis. Ik was nog te klein om al op het zadel te kunnen zitten.

Hij was geëxplodeerd. Hij was door een raketgestuurde granaat getroffen. Blijkbaar had een soldaat op enige afstand van hem zijn RPG-raket op de grond gegooid en die was afgegaan. Pana's hand hing in een boom, zijn arm lag ergens anders. Er was geen lichaam meer, maar ik heb geholpen om alle stukken bij elkaar te zoeken. Daarna kreeg ik er nachtmerries over. Ik ben een paar keer naar de pagode geweest om voor hem te bidden. Het heeft heel lang geduurd voor de nachtmerries over waren.

Pana was mijn eerste vriend en hij was dood. Ik dacht dat ik misschien echt ongeluk bracht, precies zoals grootvader had gezegd.

In mijn tweede jaar op school werd ik de beste van de klas. In die tijd, onder het communisme, kregen de beste leerlingen een onderscheiding die heel betekenisvol was: een lap stof, melk en rijst. Dat jaar kreeg ik twee lappen stof, een blauwe en een roze. Ik nam ze mee naar het huis van Mam Khon, en zijn vrouw hielp me om een roze bloes met een hartvormig zakje en een blauwe rok te knippen en te naaien. Het waren de eerste nieuwe kleren die ik ooit had gehad, en ze vormden mijn kostbaarste bezit. Ik heb die bloes bewaard tot ik in de twintig was; toen is hij bij een brand in Mam Khons huis verloren gegaan.

Een paar maanden nadat Mam Khon me voor het eerst mee naar school had genomen, begon ik hem schoorvoetend 'vader' te noemen. Dat is een benaming waar een hechte band en respect uit spreken, en andere kinderen noemden hem ook *pok*. Hij was een heel lieve man. Hij nam me altijd mee vissen. Hij had nooit van dat magere onderwijzerssalaris kunnen leven, maar hij had een kleine, lage roeiboot waarmee we 's avonds de Mekong op voeren en we onze netten aan bamboestokken op verschillende diepten achter ons aan trokken om allerlei soorten vis te vangen.

Rond een uur of drie in de ochtend legden we midden op de rivier bij de andere vissersboten aan. Zodra je uit het dorp was, was het veel te gevaarlijk om zomaar op de oever te slapen. Bij zonsopgang voeren we terug en dan verkochten we onze vis aan de wal. De rest van de vangst gaven we aan vaders vrouw en dochters, die de vis lieten gisten en er prahocsaus van maakten, of ze gewoon lieten drogen. Op die manier konden we in het natte seizoen, wanneer je niet meer goed kon vissen, altijd gedroogde vis voor rijst ruilen. Er was in die dagen niet veel geld, en we ruilden zo'n beetje alles.

We spraken nooit veel met elkaar; vader was een zwijgzaam mens. Maar we kregen wel een hechtere band, doordat we vaak met z'n tweeën op de rivier zaten. Hij leerde me netten te repareren en ze vlak en wijd uit te gooien. Ik vond het heerlijk op de Mekong, ver weg van andere mensen, ook al wist ik dat het niet normaal was dat een meisje dit werk deed. De dochters van vader hielden er niet van om te gaan vissen. Ik denk dat ze het smerig vonden of dat ze hun bleke huid zo veel mogelijk uit de zon en de wind wilden houden.

Ik probeerde hard voor het gezin van vader te werken, zodat ik zo vaak mogelijk bij hen mocht zijn. Vader had zes kinderen, en de oudste twee waren meisjes. Sochenda was een jaar of veertien en de oudste, en Phanna was twee jaar ouder dan ik, maar ik had het gevoel dat ze mijlenver op me voor liepen – op school, in het leven, in alles. Ze waren bleek en mooi en ze kookten, wasten en studeerden overdag thuis, bij hun moeder. Ze hadden tijd om te leren en mochten een olielamp gebruiken om hen bij te lichten. Dat vond ik wonderbaarlijk; ik maakte zelf mijn huiswerk altijd bij het licht van de maan.

Sochenda en Phanna en de jongere kinderen stonden niet te springen dat ik hun nieuwe zusje werd. Aanvankelijk noemde ik hen zus en Pen Navy noemde ik moeder. Maar ze deden niet echt naar tegen me. Zelfs Phanna, het prinsesje van het stel – de mooiste, met de lichtste huid – kon heel aardig zijn.

Het gezin van Mam Khon was een traditioneel Cambodjaans gezin, en daarmee bedoel ik dat er nooit over persoonlijke zaken werd gesproken. Dat was niet alleen ongepast, maar daarmee kregen andere mensen ook invloed op je. Kinderen werd geleerd dat ze nooit iets van zichzelf moesten laten zien, niet in het openbaar en niet privé. Iemand die je begreep kon wat je gezegd had gebruiken om je belachelijk te maken of om je te verraden. Als je iemand in vertrouwen nam betekende dat dat je zwak was. Alles wat je zei kon op een dag tegen je gebruikt worden. Je kon je gedachten en gevoelens maar beter voor je houden.

Er was een waarzegster in het dorp – een oude vrouw die in de buurt van de rivieroever in een hutje woonde dat nog erger vervallen was dan dat van grootvader. Iedereen had eerbied voor haar en vroeg haar om raad. Ik denk dat ik een jaar of twaalf was toen Pen Navy ons op een dag mee naar haar toe nam. Ik denk dat ze eigenlijk wilde vragen wat de huwelijks-vooruitzichten van haar dochters waren – die moesten wel goed zijn, want ze waren allebei heel mooi en blank – maar de waarzegster zei dat Phanna een ongelukkig leven zou krijgen met veel tegenslag. Toen keek ze naar mij en zei: 'Maar die zwarte, die krijgt de drie vlaggen' – macht, eer en geld. 'Zij zal met een vliegtuig reizen en de leider van de familie worden. Zij zal jullie helpen.'

De andere kinderen bulderden van de lach. Phanna lachte nog het hardst van allemaal. 'Jij krijgt kinderen die zo donker zijn dat je ze 's nachts niet eens kunt zien,' zei ze tegen me. Ze zei het voor de grap, en ik lachte mee. Ik kon gewoonweg niet geloven dat dit mijn lotsbestemming zou zijn.

Phanna geloofde niet dat ik in echte, biologische zin haar zus was, of zelfs maar haar halfzus, en ik eerlijk gezegd ook niet. Ik wist het zo net nog niet of zij mijn nichtjes wel waren. Toen vader me een keer in tranen aantrof, heb ik ernaar ge-vraagd, en toen zei hij dat hij echt de oudere broer van mijn vader was. Hij zei dat zijn broer was weggegaan, met een Phnong-vrouw was getrouwd en een kind had gekregen, en dat deze man – zijn broer, mijn vader – een opvliegend karak-ter had, net als ik. Hij hield een spiegel voor mijn gezicht en wees op zijn eigen ogen en op de mijne, op zijn eigen voor-hoofd en op het mijne, en zei toen: 'Wij lijken op elkaar.'

Een andere keer zei hij tegen me: 'Je oom, je vader, het doet er niet toe; het gaat erom dat we bij elkaar zijn.' Ik vermoed dat hij weet wat er met mijn echte ouders is gebeurd, maar hij heeft me er nooit iets over verteld. Op een gegeven moment heb ik zijn advies maar ter harte genomen: ik vroeg er niet meer naar.

Mijn borsten werden groter, en grootvader begon eraan te zitten. Dan liet hij zich 's nachts zwaar over de slaapmat rollen en voelde ik zijn handen op mijn lichaam. Als hij dat deed nam ik de benen. Ik was snel – tot op de dag van vandaag herinneren de mensen in het dorp zich nog hoe hard ik kon rennen. Dan rende ik in het donker naar de rivier en ging daar slapen, op de oever waar de vissersboten liggen. De weerspiegeling van de maan op het water kalmeerde me, en dan krulde ik me op tussen de wortels van een boom of ik kroop in vaders boot en sliep op de netten. Ik bleef mijn watertaak vervullen en droeg het geld dat ik had verdiend aan grootvader af, maar ik ging 's ochtends zo vroeg mogelijk weg en overdag probeerde ik altijd op school of bij vader thuis te zijn.

Een paar maanden nadat we bij de waarzegster waren geweest, vroeg grootvader me op een avond om bij de Chinese koopman bij wie we altijd onze boodschappen deden, olie te halen voor de lamp. Ik zag er geen kwaad in – er was geen elektriciteit, dus we gebruikten een olielamp, en ik kocht vaak dingen bij de Chinese koopman. Hij handelde in rijst en leende mensen geld tegen een hoge rente. Hij en zijn vrouw stonden in hoog aanzien in het dorp. Soms kreeg ik snoep of taart van ze.

Maar die dag was de vrouw van de koopman er niet. Ik moest achter de koopman aan naar de opslagruimte lopen en hij bood me een taartje aan. Toen gooide hij me op een stapel rijstzakken en drukte me neer. Hij sloeg me heel hard en verkrachtte me toen. Ik wist niet wat hij gedaan had, maar het voelde alsof hij me tussen mijn benen gesneden had.

Toen bedreigde hij me: 'Als je het aan iemand vertelt, snijd ik je keel door. Je grootvader is me veel geld schuldig. Als je het aan hem vertelt, zal hij je slaan. Dus hou je mond.' Hij stak me een gestreept snoepje toe.

Ik pakte het niet aan. Ik weigerde en ging ervandoor. Ik bloedde en schaamde me verschrikkelijk, hoewel ik niet begreep wat er gebeurd was. Ik ging naar de oever van de rivier en vertelde de boom over mijn pijn en mijn walging over die gemene mensen, vooral over de Chinese man die me beledigd had en pijn gedaan.

Die avond probeerde ik mezelf in de Mekong te gooien, op een plek waar de oever heel steil is. Ik ging kopje onder, maar kon niet voorkomen dat ik toch zwom – het lukte me niet mezelf dood te laten gaan. Ik spoelde een eindje verderop op een modderige oever aan.

Toen ik terugkwam bij grootvader, sloeg hij me. Hij zei dat hij me sloeg omdat ik te laat was. Hij vroeg niet eens wat er met de olie was gebeurd die ik had moeten kopen. Ik realiseerde me op de een of andere manier dat hij wist wat mij die avond overkomen was en dat hij me om die reden naar de koopman had gestuurd.

Ik ging terug naar de waarzegster en ging tegen haar tekeer. Ik zei dat ze onzin verkocht, dat ze een oud gestoord mens was die leugens vertelde.

Nu begrijp ik dat grootvader die Chinese koopman geld schuldig was en dat hij mijn maagdelijkheid verkocht heeft om zijn schuld af te lossen. In Cambodja denken veel mannen dat een maagd ervoor zal zorgen dat ze sterk blijven en dat die ze nieuwe kracht zal geven. Tegenwoordig denkt men alom dat een maagd je ook van aids zal genezen. Ik begrijp nu wel dat die Chinese man mij verkracht heeft, maar indertijd wist ik niet hoe dat heette – ik wist niet eens dat er zoiets als een penis bestond. Ik dacht dat hij een mes gebruikt had.

Ik wist ook dat ik mijn mond moest houden, dat ik hier nooit over mocht praten. Niet alleen vanwege de angst die de Chinese koopman me had ingeboezemd, maar ook omdat het iets te maken had met dingen waar je het in een Khmer-gezin gewoonweg niet over had. Tot op de dag van vandaag heb ik mijn adoptievader niet over die verkrachting verteld. Ik voelde me fijn in dat gezin, en ik wist dat ik, als ik mijn mond opendeed, geslagen zou worden, want Cambodjaanse mensen praten niet over dat soort dingen. Het zou mij en de mensen tegen wie ik sprak alleen maar te schande maken.

Ik leerde dat ik al mijn gevoelens moest afsluiten, zodat ze er niet meer toe deden, alsof het nooit gebeurd was. Pijn is tijdelijk. Die gaat weg als je je hersenen gevoelloos laat worden.

Na die avond wilde ik niet meer praten. Ik wilde geen Khmer meer begrijpen. Ik sloot mezelf op in stilte en leefde als een doofstomme. Toen grootvader me daarna nog een keer opdroeg olie voor de lamp te halen, weigerde ik, en sloeg hij me. Hij haalde een paar van die rode mieren die zo gemeen steken dat het nog weken pijn doet. Ik wil niet meer aan die man denken.

Na die avond deed ik mijn best om niet meer in het huis van grootvader te hoeven slapen. Maar ik moest elke ochtend en elke avond terug om hem geld te brengen en eten voor hem te koken. Als het me nu zou gebeuren zou ik natuurlijk weglopen. Nu zou ik hem waarschijnlijk doden, maar als kind kwam het gewoonweg niet in me op om weg te lopen. Misschien was ik stom, maar ik kon gewoon nergens heen. Ik kon niet zomaar deel van het gezin van vader uitmaken – dat zou een conflict tussen mijn adoptievader en grootvader in het leven roepen, en vader had een hekel aan wat voor conflict met wie ook.

Dus bleef ik na school karweitjes voor andere gezinnen doen en bracht ik het geld naar grootvader. Toen ik op een dag voor een oude vrouw de vaat deed, schrok ik ergens van en liet een glas kapotvallen. De oude vrouw pakte een stok en begon als een bezetene op me in te slaan, tot mijn rug ervan bloedde. Op school kon ik niet zitten, zo beurs was ik geslagen. Ik kreeg hoge koorts. Mijn adoptieouders zorgen voor me. Ze wreven me in met *moxa* – een traditionele kruidenpasta die prikt. Het deed zo erg pijn dat ik ervan moest huilen. Vader legde me uit dat je in het leven pijn moet verdragen. Hoeveel pijn het ook deed, je kon maar het best geen kik geven.

Hij zei altijd: 'Als je in leven wilt blijven moet je een *dam kor*-boom voor je huis planten.' De dam kor is de kapokboom, maar hetzelfde woord, *kor*, betekent ook stil. Om te overleven moest je je stilhouden.

Toen het droge seizoen aanbrak, mocht ik van vader met een van zijn jonge zoons, Sothear, zelf met de vissersboot eropuit. Sothear was een jaar of vier, vijf, een rustige jongen met haar dat in rechte pieken op zijn hoofd stond en met grote, wijd opengesperde ogen. Ik was ongeveer twaalf, maar ik vond het fijn om hem om me heen te hebben. Soms gingen we 's avonds op pad en sliepen we met de vissersfamilies op de rode aarde bij de boten. Sothear hielp me een afdakje van palmbladeren en bamboe op de oever te bouwen, waar ik kon slapen – gewoon vier bamboestokken en gedroogde palmbladeren als dak. Ik maakte een vloer van gedroogde rijststengels van het veld, en daar sliep ik dan.

Het was niet gevaarlijk. Veel mensen leefden aan de rivier. Als ik 's avonds ging vissen, gaf ik iemand die op de oever bleef een hand rijst en als ik terugkwam was mijn rijst gekookt en konden we samen een vis opeten. Elke ochtend gaf ik mijn vangst aan vader en dan verkochten we daar een deel van. Als ik genoeg geld had om aan grootvader te geven, kon ik die dag naar school.

In het regenseizoen steeg de Mekong en liepen de oevers onder water. Dan kwam er veel hout op de rivier mee. We gingen in boten de rivier op en haalden het binnen, zodat we het konden drogen om later op te stoken. Soms verkochten we het of ruilden het voor rijst, maar het meeste bewaarden we toch voor het gezin van vader.

Op school zou meester Chai kinderen kiezen die hij zou trainen voor een traditioneel Cambodjaans dansoptreden. Iedereen was met stomheid geslagen toen hij mij uitkoos. Hij legde die avond uit dat op mijn huid de make-up beter zou uitkomen dan op die van de lichtere meisjes. Bovendien had ik ook heel lang haar, in tegenstelling tot de andere meisjes; onder de Rode Khmer was voor iedereen kort haar verplicht geweest.

Meester Chai leerde ons de precieze gebaren van de Apsara, waarbij we onze vingertoppen moesten omkrullen en onze nek heel stijf moesten houden, als kraanvogels. De muziek noch de dans kon mij veel schelen, maar de mensen vonden me mooi, en ik genoot van hun verbaasde bewondering.

We leefden in die tijd als een collectief. Het was niet zoals vandaag de dag, waarbij individuele gezinnen veel meer op zichzelf zijn, vooral in de steden. Cambodja was een communistisch land. Ieder dorp was in groepen georganiseerd, die *krom samaki* werden genoemd – acht of tien gezinnen die gezamenlijk de rijst plantten en gebruikmaakten van de paar buffels waar het dorp over beschikte. Na de oogst deelde de groepsleider de rijst uit: elke gezin kreeg misschien vijftig kilo rijst voor het hele jaar.

Als ik nu terugkijk op die tijd, denk ik dat dat voor Cambodja het beste systeem was. Onderwijs was gratis en bood kinderen een uitweg uit de armoede – niet zoals vandaag de dag, nu ouders enorme bedragen moeten betalen voor onderwijs en je elk diploma kunt kopen. Er waren maar weinig ziekenhuizen, en die waren slecht toegerust, maar ze waren wel min of meer gratis. Als je tegenwoordig niet kunt betalen, kijken ze niet naar je om, ook al ben je stervende.

Het communisme was heel anders dan het leven onder de Rode Khmer. De mensen waren niet meer bang. Ze hoefden niet meer de bevelen op te volgen van moordzuchtige jonge kinderen die door de overheid waren geïndoctrineerd. En dus keerden de oude gebruiken terug. De oude mensen bevalen de jonge, in plaats van omgekeerd. Vrouwen noemden hun man niet meer 'kameraad', zoals onder de Rode Khmer voorgeschreven was geweest, maar 'oudere broer' of 'oom', en ze moesten zich nu naar behoren onderdanig en respectvol gedragen.

Net als alle meisjes bij vader thuis moest ik de *chbap srey* leren opzeggen – de code van goed gedrag voor Cambodjaanse meisjes. Ik maakte deel uit van het schoolprogramma – van het verlangen van de regering om alles uit te wissen wat de Rode Khmer had gedaan en terug te keren naar de oude cultuur. Alle meisjes op school moesten die code leren opzeggen, maar Mam Khon wilde dat wij hem echt foutloos uit ons hoofd kenden.

In Cambodja luidt het ideaal dat een vrouw zo zacht loopt dat je haar voetstappen niet kunt horen. Ze glimlacht zonder haar tanden te ontbloten en ze lacht zacht. Ze kijkt een man nooit recht aan. Een vrouw mag niets tegen haar man terug zeggen. Ze mag in bed haar rug niet naar hem toe draaien. Ze moet buigen voordat ze zijn hoofd aanraakt, en als ze over zijn benen heen loopt, wordt ze ziek. In Cambodja moet je respect hebben voor je ouders en voor hen zorgen, en je echtgenoot is je heer en meester; alleen je vader is nog belangrijker dan hij.

Ik was gehoorzaam, maar ik was niet gedwee. Ik kookte van woede. Ik weet nog dat ik op een middag met Sothear uit vissen was. We zaten samen op de oever van de rivier toen we een paar rijke mensen zagen – mensen uit Phnom Penh, de hoofdstad. Ik vond het net goden, vooral de vrouw – slank en bleek, met kleren die er als nieuw uitzagen en met schoenen met een puntige neus. Ze sprak zacht en schreed bijna voort. Ze was zo beeldschoon dat ik haar met open mond van bewondering nakeek.

'Misschien worden wij ooit ook wel zo rijk,' zei ik tegen Sothear. Hij stond op en zwaaide met zijn armen, zo opgewonden was hij. Sothear zei: 'We moeten er echt in geloven: we worden vast net zo rijk als zij. We moeten heel hard ons best doen op school en dan lukt het ons!' Hij zei dat hij een rijke koopman wilde worden. Ik zei: 'Als ik ooit trouw, wil ik ook met een rijke man trouwen – met een soldaat, zodat hij mijn grootvader kan vermoorden.'

3

'Dit is je echtgenoot'

Sochenda, de oudste dochter van Mam Khon, was zeventien en zou binnenkort haar eindexamen doen – een enorme prestatie in ons dorp. (Ik was veertien en nog niet eens klaar met de basisschool.) Iedereen in het gezin was opgewonden, want als Sochenda slaagde, kon ze doorleren, en dat kwam zelden voor bij dorpsmeisjes.

Het was een nationaal examen, dat plaatsvond in Kampong Cham, de hoofdstad van de provincie, op ongeveer drie uur fietsen van Thlok Chhrov. Er werd besloten dat we er allemaal heen zouden gaan, samen met moeder, en dat we onderweg in het huis van een van moeders tantes zouden overnachten.

Die nacht, in het huis van deze 'grootmoeder', maakte Phanna me wakker om te luisteren, want beneden waren de oude vrouw en onze moeder in gesprek. Ze hadden het erover dat moeder zo'n geluk had gehad dat ze een goede man had gevonden. We hoorden dat de stiefmoeder van onze moeder haar, toen ze jong was, had meegenomen naar een andere stad en haar aan een bordeel had verkocht. Ze had het er vreselijk zwaar gehad. Vader was een arme, jonge man, maar hij hield van haar. Toen hij zijn schooldiploma had gehaald, was hij haar in het bordeel komen opzoeken en had hij haar vrijgekocht.

Dat was allemaal lang voor de Rode Khmer, in de ondoordringbare tijd toen vader en moeder jong waren. Ik denk dat het in de jaren 1950 was. Phanna en ik waren er helemaal kapot van en moesten allebei huilen. Onze moeder had ons nooit iets over haar verleden verteld. Dat kon ze gewoonweg niet en dat kan ze nog steeds niet. Tot op de dag van vandaag hebben we het er nog nooit over gehad.

Ik denk dat er in Cambodja altijd vrouwen voor de prostitutie zijn verkocht. Mensen krijgen schulden – dat is een koud kunstje als de rente tien procent of meer per maand is. Door in een bordeel te werken waar de geldverstrekker een regeling heeft getroffen, treedt de dochter als onderpand op en betaalt de lening terug. Onkosten, zoals eten, kleding, medicijnen en make-up, worden natuurlijk van haar rekening afgetrokken, en de ouders kunnen nog meer schulden oplopen, die bij het geld dat zij moet verdienen, opgeteld worden.

In andere gevallen verkopen de ouders hun dochter rechtstreeks aan het bordeel, en dan komt het er in feite op neer dat ze het bezit van iemand anders wordt. Een meisje van twaalf jaar kan voor haar familie vijftig à honderd Amerikaanse dollars verdienen, en misschien meer als ze uitgekookte ouders en een heel lichte huid heeft. Er zijn ook families die het meisje gewoon zeggen dat ze dat moet doen, en dan gehoorzaamt ze. De familie gaat ongeveer één keer per maand naar het bordeel om haar verdiensten op te halen. Dochters zijn verplicht om hun ouders te gehoorzamen en voor hen te zorgen.

Ik weet dat u zich dit moeilijk kunt voorstellen. Maar na al die jaren kan ik echt wel zeggen dat voor veel ouders gevoelens hier geen enkele rol bij spelen. Hun kinderen zijn geld op benen, bezit, een soort huisvee.

Ongeveer een maand nadat we van die reis naar Kampong Cham waren teruggekomen, pakte grootvader op een ochtend mijn arm beet, toen ik langskwam om hem zijn geld te brengen. Hij zei: 'Pak je spullen en kom vanavond naar huis.'

Ik deed wat hij zei – het kwam niet in me op hem niet te gehoorzamen. Toen ik die avond naar zijn huis ging, was er een man. 'Dit is je echtgenoot,' zei grootvader.

Ik voelde helemaal niets. Ik had mezelf al lang geleden gevoelloos gemaakt. Meisjes moesten eerbied hebben voor ouderen, en ik diende grootvader gehoorzaam te zijn. Dit was gewoon een gebeurtenis in mijn leven, waarvan er al vele waren geweest. Het zou best kunnen dat ik me ook een beetje opgelucht voelde: misschien kon ik wel weg uit het huis van grootvader. Maar ik wilde niet weg met deze man. Ik wist dat ik de ene meester alleen maar voor de andere verruilde.

We gingen naar de tempel. Dat was een houten hut die de dorpsbewoners op het terrein van de oude boeddhistische pagode hadden gebouwd, die de Rode Khmer had verwoest. Er was een priester, maar er werd hoegenaamd geen ceremonie gehouden. Meestal is er een huwelijksceremonie en een groot feest, maar grootvader wilde geen geld aan me spenderen. Ik had de rok van mijn schooluniform aan. In de tempel brachten we offerandes aan de geesten om hun eerbiedig te verzoeken ons met rust te laten; in Cambodja moet je de geesten van de overledenen voortdurend gunstig stemmen, anders komen ze je huis binnen en doen ze je kwaad. De priester zei: 'Jullie zijn getrouwd,' en dat was dat.

Mijn man heette Than, maar ik noemde hem altijd *Pou*, wat 'oom' betekent, als teken van onderdanigheid en ontzag. Mijn nieuwe man was ouder dan ik. Ik was een jaar of veertien en hij moet halverwege de twintig geweest zijn. Hij was soldaat. Hij was lang, had een donkere huid, krullen en witte tanden. Hij zag er best knap uit en was heel gewelddadig. Ik vind het vreselijk om aan die man te denken. Grootvader had een schuld bij hem – dat vertelde hij me later. De eerste nacht van mijn huwelijk sliep ik in het huis van grootvader en mijn man sliep ergens anders. De volgende dag reisden we samen met grootvader naar Chup, waar mijn man gelegerd was. Het was honderd kilometer reizen en we waren van 's ochtends vroeg tot 's avonds laat onderweg om er te komen – eerst per boot naar Kampong Cham en vandaar verder met een vrachtwagen.

Voor we vertrokken ging ik naar het huis van Mam Khon. Ik vertelde moeder dat grootvader me aan een man uitgehuwelijkt had. 'Misschien is het voor je eigen bestwil,' zei ze. 'Je moet met hem meegaan, en misschien krijg je het bij hem beter dan bij je grootvader.' Vader en zij zullen wel vermoed hebben dat ik vaak geslagen werd, hoewel we er nooit over gesproken hadden.

Het huis van mijn man was een door het leger gebouwd hutje te midden van de rubberplantages. Het bestond uit één lege kamer van vieze rode aarde, met niks erin, behalve een kookvuur en een verhoging van bamboe, waar we sliepen.

Ik haat het huwelijk. Het huwelijk is een gevangenis voor vrouwen. Op haar trouwdag gehoorzaamt het meisje haar ouders en als de ceremonie ten einde is wordt ze verkracht. Wat weet een meisje in Cambodja nu over seks? Niets. Ik had al seks gehad, maar ik wist er niets over. Ik wist niet wat de Chinese koopman in mij gestopt had – ik wist alleen dat het pijn deed – en ik had geen idee dat dit in het huwelijk ook gebeurde.

Ik geloof niet dat ik met mijn onwetendheid een uitzondering was. Toen we op school een keer militaire training hadden, stapte een jongen over de rug van een meisje heen, waarna ze begon te huilen, omdat ze dacht dat ze zwanger was. Zo waren we allemaal. Mensen vertelden hun dochters dat je al zwanger werd als je de hand van een jongen aanraakte.

Die eerste nacht verkrachtte mijn man me een paar keer op

die slaapverhoging, en toen ik me verzette, sloeg hij me. Hij greep me bij mijn haar en sloeg me met mijn hoofd tegen de muur. Daarna gaf hij me zo'n harde klap in mijn gezicht dat ik op het bed neerviel.

Toen het ochtend was, moest ik opstaan en eten klaarmaken. Er kwam geen enkele uitleg, er was geen sprake van genade of schaamte. We hebben bijna nooit een woord met elkaar gewisseld.

Andere mensen zag ik alleen als ik het dorp in liep om eten te kopen. Ik kookte sprinkhanen, groenten en gedroogde vis, en hij vond alles wat ik hem voorzette even vies. Als hij het niet lekker vond, sloeg hij me.

Die man – mijn echtgenoot – sloeg me vaak, soms met de kolf van zijn geweer tegen mijn rug en soms met zijn handen. Met zijn nagels, die lang en puntig waren, reet hij diepe wonden in mijn wang. Dat deed hij omdat ik niet glimlachte, omdat ik niet hartelijk was, omdat ik lelijk was en omdat ik een doodskop was – zo noemde hij me.

Hij was heel gewelddadig. Dat zijn veel soldaten. Als hij boos was probeerde ik zo zacht mogelijk te ademen, om vooral zijn aandacht niet te trekken, want hij kon om niets door het lint gaan. Om me bang te maken schoot hij wel eens op me met zijn militaire geweer. In het begin werkte dat, maar ik raakte eraan gewend. Vanbinnen voelde ik me dood. Als hij me verkrachtte probeerde ik te verdwijnen.

Zo zag mijn leven eruit – de zoveelste vorm van slavernij. Ik sprak er nooit met iemand over. Om ons heen stonden huizen, waar andere soldaten en soldatenvrouwen woonden, maar over zulke dingen sprak je gewoonweg niet. Cambodjanen hebben een gezegde: het vuur dat buiten brandt moet buiten blijven, en het haardvuur moet binnen blijven. Kortom, je praat niet over wat er thuis gebeurt.

Mijn man was vaak weg om te vechten tegen de Rode Khmer. De regering kon zich niet veroorloven om de macht over de rubberplantages kwijt te raken, dus het wemelde in deze regio van de soldaten. Als hij wegging had ik al snel geen geld meer voor eten, terwijl ik geen idee had wanneer hij terug zou komen. Teruggaan naar Thlok Chhrov was gewoonweg geen optie: grootvader zou me alleen maar slaan, en ik wist dat mijn man me ook zou slaan als hij terugkwam.

Chup was in twee delen verdeeld: het dorp, in de buurt van de rubberplantages, waar ik woonde, de kliniek en het militaire terrein. De kliniek lag altijd vol gewonde soldaten en dorpelingen, die daarheen gebracht werden als er landmijnen ontploft waren terwijl zij op het veld aan het werk waren geweest, die hun benen of handen eraf hadden gerukt. Er lagen overal landmijnen. De Rode Khmer legde mijnen, en de regeringssoldaten legden ze om de Rode Khmer ervan te weerhouden om zich tussen de plantages te verplaatsen. Misschien lag er zelfs nog ongeëxplodeerd materiaal van de Amerikaanse bombardementen op Cambodja aan het eind van de Vietnam-oorlog.

Niemand wilde in de kliniek werken, vooral 's avonds niet, ook al kreeg je elke maand bijna vijftien kilo rijst. Niemand wilde lichaamsdelen en overleden mensen aanraken. Maar ik wilde maar één ding en dat was werken. Ik was niet bang voor de doden. Een dood lichaam was hetzelfde als mijn eigen lichaam – ik zag geen enkel verschil. Eén of twee keer stapte ik in het donker op een afgerukt been of afgerukte arm – en ik moet toegeven dat dat doodeng was.

Als de landmijnslachtoffers werden binnengebracht, zat er soms niets anders op dan maar te amputeren. Als er geen narcosemiddel was – en dat was er vaak niet – bonden we de patiënt vast. Er waren geen echte artsen in de kliniek – het waren gewoon medici die het vak onder de Rode Khmer hadden geleerd. Als zij er niet waren moesten wij, de verpleegsters, zelf de operaties uitvoeren. Slechts een van ons had een medische opleiding gedaan: onze hoofdverpleegster had in Phnom Penh een paar maanden een cursus gevolgd.

We leerden met vallen en opstaan – vooral met vallen. Als onze medicijnenvoorraad dreigde op te raken, lengden we ze gewoon aan. Er stierven mensen aan gangreen, malaria, bloedverlies. Maar het ergst vond ik nog de vrouwen die in het kraambed stierven. Met hen had ik echt medelijden. Eén vrouw, die in verwachting was van een tweeling, lag uren te lijden. We wisten niet hoe we een keizersnede moesten uitvoeren. Ik was zo moe dat ik, nadat ze was overleden, ter plekke in slaap viel, zo op de grond naast haar lichaam.

Als de jonge moeders inwendige bloedingen hadden gehad, werden ze ziek en kregen hoge koorts. In het westen noemt men dat kraamvrouwenkoorts. Wij interpreteerden dat heel anders. Voor ons betekende het dat een overledene de weeën had gebruikt om het lichaam van de vrouw binnen te gaan en daar een dans uit te voeren. Veel jonge moeders stierven aan die koorts. Degenen die het kraambed overleefden, gingen naar huis om een glas met de urine van een jongen te drinken, want dat schreef de traditie voor. Onder haar bed werd een kolenvuurtje aangelegd. Ze moest veel peper eten om haar energie terug te krijgen en haar huid lichter te maken. Ze kreeg sterk gepeperd, gekaramelliseerd varkensvlees te eten, en een paar glazen alcohol te drinken. We gebruikten traditionele recepten, maar er was geen echte traditionele medische deskundige voorhanden.

Het was in de kliniek helemaal niet gebruikelijk om je handen te wassen, en de zeep was trouwens toch vaak op. Heel veel mensen stierven onder helse pijnen. Het is nu jaren later, en ik begrijp nu natuurlijk wel dat we de patiënten verschrikkelijke dingen hebben aangedaan. Maar we waren arm en onwetend. Het was een afschuwelijke situatie en we deden wat we dachten dat goed was.

Ongeveer een halfjaar nadat ik getrouwd was, werd ik voor het eerst ongesteld. Ik was vijftien jaar en dacht dat ik misschien door een bloedzuiger uit het meer gebeten was. Ik had geen idee waarom ik bloedde en bleef de hele dag thuis. Mijn man was er niet, die was vechten. Toen ik weer terugging naar de kliniek om te werken, vroeg ik aan mijn collega Pov, ook een verpleegster, wat er gebeurd was. Toen kwam de hoofdverpleegster; ze was boos dat ik niet was komen werken. Ze vroeg waarom ik niet was gekomen en toen ik haar vertelde dat mijn geheime plekje bloedde – zo noemen wij dat – was ze nog steeds boos, maar ze legde me wel uit wat er aan de hand was. Ze zei dat dat normaal was voor vrouwen en ze nam me mee naar de kast waar ze schone doeken bewaarde, als maandverband.

Pov was ook nog niet ongesteld geworden. Ze had een donkere huid en geen knap gezicht. Geen van de andere verpleegsters was op haar gesteld, maar ik wel. Ze was ook een jaar of vijftien. Pov was een weeskind, net als ik. Ze woonde bij haar oom, die haar sloeg. Ze vertelde me dat hij haar ook verkrachtte. Hoewel ik haar nooit over mijn man had verteld, realiseerde ik me op dat moment dat ik niet alleen was – mijn man deed me pijn tussen mijn benen, maar dat gebeurde bij andere vrouwen ook.

Je was nergens verlost van de mannen, zelfs niet in de kliniek. De artsen loerden op ons, vooral op de mooie meisjes met een lichte huid en op de weeskinderen, die niemand hadden om hen te beschermen. We konden niets doen, we konden het alleen maar ondergaan. In het begin gebeurde mij niets, omdat ik lelijk was en getrouwd. Maar daar kwam een eind aan.

Een keer toen ik avonddienst had, kwam de hoofdarts naar me toe. Hij had al een paar keer geprobeerd seks met me te hebben, maar die avond gebruikte hij geweld. Na afloop zei hij: 'Je bent zo lelijk dat je nog van geluk mag spreken dat ik dit doe.' De verkrachting was minder erg dan de woorden die hij sprak. Een andere arts die ik graag mocht en met wie ik het goed kon vinden maakte ook misbruik van de situatie. De keus was heel eenvoudig: ik liet het gebeuren of ik werd ontslagen, en dan had ik niets te eten.

Ik voelde me net een stuk afval, alsof ik niets was. Ik was ook bang dat mijn man erachter kwam. In Cambodja mag een vrouw geen seks met een andere man hebben, en als dat wel gebeurt, moet ze zelfmoord plegen, vinden veel mensen.

Ik probeerde het. Ik slikte een heleboel druppels Russisch slaapmiddel van de kliniek. De volgende dag werd ik verdwaasd en beneveld wakker. Toen ik een dag later weer naar mijn werk ging, kreeg ik een uitbrander van de hoofdverpleegster.

Grootvader verscheen weer ten tonele, uit Thlok Chhrov. Hij had geld nodig. En hij had een brief voor me – een brief! Phanna ging trouwen en ze vroeg of ik wilde komen om haar bruidsmeisje te zijn. Toen grootvader weer weg was, vroeg ik toestemming aan de kliniek om weg te gaan. Ik betaalde een man om me er achter op zijn fiets naartoe te brengen. De avond voor de bruiloft kwam ik aan en toen ik bij het huis arriveerde, was Phanna zich al aan het klaarmaken.

'Waar is je man?' vroeg ik. Ze wist het niet. Ze maakte een gebaar in de richting van een groepje jonge mannen voor het huis, die de voorbereidingen gadesloegen. 'Misschien is het wel een van hen,' zei ze. 'Ben je blij?' vroeg ik haar.

Er zou een priester komen en ze had allerlei verschillende jurken, en make-up, taarten, en er kwam een ceremonie, maar ze keek me met een lege blik aan. Ik was vijftien, dus Phanna moet toen een jaar of zeventien zijn geweest. Ik vond dat ze van geluk mocht spreken dat ze zo lang had mogen wachten, hoewel ik wist dat sommige dorpelingen het gezin van mijn vader 'het huis van de oude maagden' noemden.

Vader was onderwijzer, een intellectueel, en moeder had ook onderwijs genoten. Ze hadden Phanna niet gedwongen om te trouwen. Moeder was naar haar toe gekomen en had gevraagd: 'Wil je trouwen?' en Phanna had geantwoord: 'Wat u wilt,' want dat horen brave meisjes te zeggen. Dat vond zij normaal, en ik ook.

Ze vroeg niets over seks en ik begon er ook niet over. Over zulke dingen had je het niet. Maar ik hoorde moeder wel zeggen: 'In de eerste nacht slaap je met je gezicht naar je man toe. Als je je rug naar hem toe draait betekent dat dat je zult scheiden. En je moet hem laten doen wat hij wil.' Ik realiseerde me dat het er zo altijd in het huwelijk aan toe gaat – daar draait het in het huwelijk om.

Grootvader was niet in het dorp, en we spraken af dat ik die nacht in het huis van vader zou logeren. Phanna had een jurk voor me gemaakt. Ik was heel trots dat ik op de bruiloft als het zusje van Phanna zou worden voorgesteld; de familie van de echtgenoot ging er gewoon van uit dat zij mijn echte vader en moeder, mijn echte familie waren. De echtgenoot was een jongen van een jaar of achttien, uit een naburig dorp. Hij had zich in Thlok Chhrov voor de regeringssoldaten verscholen, die het dorp onlangs hadden aangedaan om alle jongens te rekruteren.

Na de bruiloft ging ik terug naar Chup. Mijn man kwam terug, maar kort daarna vertrok hij weer om te gaan vechten, deze keer veel verder weg. De gevechten langs de Cambodjaanse grens met Thailand waren heel hevig geworden. De strijdkrachten van de Rode Khmer werden talrijker. Ze waren nu een georganiseerd leger met hun basis in Thailand. Aan het eind van elk jaar gingen de Vietnamese strijdkrachten die Cambodja bezet hielden in de aanval en vernielden de guerrillabases daar, maar na het droge seizoen, als het weer was gaan regenen, trok de Rode Khmer het binnenland weer in. De regering bouwde nu een enorme muur van landmijnen en vallen langs de grens, om te voorkomen dat de Rode Khmer die overstak.

Mijn man ging met zijn troepenmacht naar de grens. Er gingen weken voorbij; hij kwam niet terug.

Ongeveer een maand nadat hij was vertrokken, verscheen grootvader weer. De eerste keer had ik hem geld gegeven en was hij weggegaan. De tweede keer had ik geen geld voor hem, en toen sloeg hij me. Het was lang geleden sinds hij dat had gedaan. Toen zei hij: 'Pak je spullen. We gaan op bezoek bij een tante, in de stad.'

4

Tante Nop

'De stad' betekende dat we naar de hoofdstad van Cambodja gingen. In die tijd leek Phnom Penh in niets op de welvarende en wilde stad die het vandaag de dag is. Er was bijna nergens elektriciteit. Er waren veel minder zwervers op straat. De gebouwen waren vervallen en gehavend, er zat geen glas in de sponningen en de wegen waren een ratjetoe van stenen, modder en vuilnis. Tien jaar nadat de Rode Khmer de steden had ontvolkt en alle bewoners naar werkkampen had gestuurd, waren de wegen en basisvoorzieningen nog steeds niet gerepareerd.

Maar ik was helemaal overweldigd door al het lawaai, door alle straten en gebouwen. Ik was nog nooit ergens geweest waar het zo rijk en zo druk was. Het land was nog steeds communistisch, maar er waren toch al nachtclubs met lokale muziek, bars en enorme mensenmassa's.

Er waren reusachtige, kakofonische markten waar je alles kon kopen, van kookpotten tot auto-onderdelen, met gigantische uitstallingen van etenswaren – fruit en groenten die ik niet eens herkende – en kilometers vis, leek het wel. Er waren ook hele horden motorfietsen – meer motorfietsen dan ik voor mogelijk hield – en zwarte Russische fietsen, glanzend en nieuw.

Zelfs de meisjes fietsten hier. Sommige mensen zagen eruit alsof ze in de hemel leefden. Maar ik dacht niet dat grootvader me om een leuke reden mee naar de stad had genomen. Ik wist dat ik van die man niets goeds te verwachten had.

Die eerste avond kwamen we rond zonsondergang aan. Tante Nop woonde in een klein, vies appartementje in de smalle oude straatjes rond de Centrale Markt. We liepen in het donker naar boven naar de eerste verdieping, want het gebouw had geen elektriciteit. Ze nam me door de half geopende deur scherp op.

Tante Nop was een jaar of vijfendertig, denk ik. Ze was een moslim-Cham, net als grootvader, maar ze droeg westerse kleren en had een golvend kapsel. Ze had een dik gezicht en veel te veel make-up op, met kleurvegen en tot hoog op haar voorhoofd opgetekende wenkbrauwen. Ik vond dat ze er afschuwelijk uitzag, als een demon of een kwade geest. Haar gezicht stond uitdrukkingsloos; ik heb haar nooit zien glimlachen.

Terwijl zij met grootvader sprak, werd mij te verstaan gegeven dat ik me moest wassen. Ik ging een pikdonkere badkamer in. Bij daglicht zag je dat het er smerig was en 's avonds was het er zo klein dat je het gevoel had dat je in je doodskist lag. Ik moest me daar vaak wassen, in dat hokje.

Die eerste avond keken grootvader en tante Nop naar me en praatten toen verder. Ze stuurden me naar de slaapkamer, waar nog een ander meisje was, iets ouder dan ik – een jaar of zeventien, achttien. Ze had amandelvormige ogen, als een Chinees, maar wel een donkere huid. Ze zei niets, en ik ook niet.

Ik zag dat tante Nop grootvader geld gaf. Hij draaide zich naar me om en zei: 'Je moet doen wat tante Nop zegt. Ik kom terug.' Toen ging hij weg.

Tante Nop woonde samen met een andere vrouw van haar leeftijd en diens dochter – het meisje op het bed. Ze heette Mom. Toen grootvader weg was, zeiden de vrouwen dat ik stil moest zitten, terwijl Mom me opmaakte. Toen gaven ze me een jurk en schoenen en zeiden ze dat we allemaal de deur uit gingen.

Toen we het appartementje uit liepen, was het al donker, en ik struikelde over de rotzooi op straat. Ze namen me mee naar een lange, smerige, pikzwarte steeg tussen twee winkelpuien. Die leidde naar een donkere binnenplaats en een wirwar van andere steegjes. We liepen een portiek in en een vervallen trap op. De trap had geen leuning meer – ik denk dat iemand die gestolen had.

Op de eerste verdieping was een soort appartement. De woning werd niet door muren of vloeren van het trappenhuis gescheiden – het was gewoon een kale betonnen vloer, en als je naar boven liep kon je zo de bedden en het zwartgeblakerde kookvuur zien. Er stonden heel veel bedden – rotte matrassen van gevlochten gras. Het was er heel goor.

De vrouw die hier de leiding had heette tante Peuve. Het was een kleine vrouw, vrij mollig – mollig voor die tijd, althans – met een moedervlek op haar onderlip en haar haar in een knot.

Ik schrijf nu over dit huis omdat ik er nooit meer over wil praten. Ik wil er nooit meer aan denken. Ik moet ervan kotsen.

Er kwam een man, en ik zag hem met tante Peuve praten. Ze wenkte Mom, en voor Mom opstond, zei ze tegen mij: 'Ik kan je maar beter vertellen wat dit hier is. Het is een bordeel. Je moet doen wat ze zeggen, anders krijg je slaag.' Toen ging ze weg. Er kwam nog een man binnen, en tante Peuve zei tegen hem: 'Zij daar is nieuw, vers van het platteland.'

In de hoek het dichtst bij de muur stond een bed, afgeschermd met een gordijn van sarongs. Daar ging de man naar binnen. Tante Peuve kwam me halen en toen ik 'nee' zei, gaf ze me een klap tegen mijn hoofd. 'Ja of nee, je doet het toch,' zei ze.

Haar echtgenoot, Li, was er niet de hele tijd bij, maar de bewakers wel.

Ik ging het kamertje binnen en voelde me doodsbang, alsof ik met een hongerig wild dier werd opgesloten. De man was lang, had een overhemd aan en was in de dertig – misschien was hij een politieagent, of werkte hij op een kantoor. Hij zei: 'Doe je kleren uit, verzet je niet, want ik wil je geen pijn hoeven doen.'

Ik kwam van het platteland – in Thlok Chhrov trok niemand in één keer al zijn kleren uit. We wasten ons met onze kleren aan en verkleedden ons onder een sarong. Ik kon het niet, niet ten overstaan van een vreemde. Ik verzette me tegen hem, en hij verkrachtte me. Maar dat viel nog niet mee, want ik bood weerstand.

Dus deed hij het nog een keer, om me een lesje te leren. Toen hij klaar was, bloedde ik uit mijn neus en mond en voelde ik me smerig – overal was bloed en sperma. Het was ochtend, en toen hij wegging, zei hij: 'Ik zie je vanavond.'

We gingen terug naar het appartementje van tante Nop, waar ik me waste en ging slapen. Ik voelde een zwarte, donkere woede jegens grootvader en wat hij me had aangedaan. 's Avonds kreeg ik weer make-up op en moesten we weer weg. Toen we bij tante Peuve aankwamen, zei ze: 'Dat flik je me niet nog een keer. Ik heb je aan die man gegeven omdat hij heel aardig is en ik wist dat hij je geen pijn zou doen, in tegenstelling tot sommige anderen.'

Ik weet nog dat de echtgenoot van tante Peuve, Li, de volgende was. Hij was dik en sterk, en toen ik me tegen hem verzette, sloeg hij me met de gesp van zijn riem. Toen hij soldaat was, was hij bij een explosie zijn voet kwijtgeraakt, dus hij liep met een kruk, en hij had een baard. Hij sloeg me met de kruk en verkrachtte me die avond, en na afloop deden zijn twee bewakers dat ook nog eens. Er was een Khmer-bewaker met een opgeblazen gezicht, als van een alcoholist, en een Chinees met een hard gezicht en een gruwelijk lichaam, mager en een en al spierkronkels.

Cambodjanen zijn gewelddadig – ze kunnen je zo doodslaan. Gelooft u vooral niets van al die verhalen over de zachtmoedige Khmer-glimlach. Mannen in Cambodja lijken misschien vriendelijk, maar als ze boos zijn kunnen ze je met hun blote vuisten doden.

Na afloop brachten ze me naar beneden, naar de kelder. Daar hielden ze dieren, slangen en schorpioenen. Die hielden ze niet om ons te doden, maar om ons bang te maken. Het was een klein vertrek, pikkedonker, en het stonk er naar het riool. Ze bonden me vast en voordat ze weggingen lieten ze de slangen op me vallen.

Dit was het strafkamertje. Daar moest ik vaak heen, omdat ik lastig was. De klanten zeiden altijd dat ik lelijk was of dat ik boos naar hen keek – ze klaagden vaak over me. De andere meisjes zeiden dat in de kelder mensen waren doodgegaan en ze waren vreselijk bang om naar beneden te moeten, vanwege de geesten. Maar ik was niet bang voor geesten. De overledenen boezemden mij geen angst in. Ik huilde, maar dat was omdat ik geen ouders had, omdat niemand me hielp, omdat ik was verkracht en geslagen en omdat ik honger had en uitgeput was. Ik huilde van emotie, niet van de pijn. Ik huilde van frustratie, omdat ik hen niet kon doden. Grootvader, de bewakers – zelfs mijn ouders, die me in de steek hadden gelaten, zodat dit nu mijn lot was. Ik miste een echte moeder die van me hield en haatte haar omdat ze er niet was. Er was geen liefde in mijn leven.

Ik weet niet wanneer ze me er weer uit lieten – pas een hele tijd later – maar ik denk dat ik er wel de hele volgende dag gezeten heb. Tegen de tijd dat Mom me eruit haalde, had ik het gevoel dat mijn benen het niet meer goed deden. Tante Nop was zo boos op me dat ze zei: 'Je krijgt geen eten van me,' maar ik wilde toch al niets eten. Mom had ervoor gezorgd dat tante Nop ophield me te slaan, omdat ze vond dat ik wel genoeg had gehad. Dat was waar, want ik zag inmiddels dubbel. Ik moest de hele dag van haar schoonmaken en ik mocht niet slapen, omdat ik geen geld had verdiend. Mom kreeg medelijden met me en bette mijn wonden met peroxide. Ze wist hoe ik me voelde.

Daarna accepteerde ik de klanten. Ik had geen keus.

Overdag waren we in het appartementje van tante Nop. Later kwam er nog een derde meisje bij. Tante Nop was gespecialiseerd in nieuwkomers, meisjes die zo van het platteland kwamen. Ze had connecties. Maar ze verhuurde kamers aan nette mensen en wilde geen klanten in haar woning, dus 's avonds nam tante Nop ons mee naar het bordeel van tante Peuve.

Wij waren eigendom van tante Nop, maar tante Peuve handelde alle zaken af. Ik denk dat tante Nop haar commissie gaf. Tante Nop en tante Peuve waren *meebons*, vrouwen die in prostituees handelen. Ze zorgden voor ons, ze gaven ons te eten, ze gaven ons kleren – hoewel we die meestal moesten terugbetalen – en ze lieten ons bij hen wonen. 's Avonds verhuurden ze ons.

Sommige prostituees werden door hun ouders of familieleden aan de meebon verkocht, of door hun echtgenoot. De prijs hing af van hoe fris en mooi ze waren, maar ook van hoe slim de verkoper was en wat voor connecties hij had. Vandaag de dag worden er wel meisjes ontvoerd en in de prostitutie gebracht, maar ik geloof niet dat dat ook gebeurde toen ik jong was. De meeste meisjes in het huis van tante Peuve waren daar bij wijze van een soort afbetaling, om een schuld terug te betalen. Ze moesten werken tot ze het geld hadden terugbetaald dat hun familie aan schulden had – tenzij de familie weer nieuwe schulden aanging, waardoor de slavernij van hun dochter werd verlengd.

Als je in een bordeel hebt gewerkt, wil niemand je meer. Het woord voor prostituee is in het Cambodjaans *srey kouc*, 'gebroken vrouw' – zodanig gebroken dat het niet meer gerepareerd kan worden. Je bent voor altijd te gronde gericht en je maakt je familie te schande. Niemand wil voor andere mensen weten dat ze een prostituee in de familie hebben.

De klanten waren afschuwelijk. In hun ogen waren we vlees, meer niet. Dan zeiden ze: 'Ik heb een godsvermogen betaald en je bent niet eens mooi,' en *rang*, dan sloegen ze je tegen de muur. Sommigen vonden het leuk om ons pijn te doen en deden het voor de lol. Ze waren vies. Ze stonken. In mijn herinnering is hun smerigheid nog wel het weerzinwekkendste van alles. En de stank.

De soldaten en ex-soldaten waren het gewelddadigst. Zij hadden een speciaal soort woede en wreedheid. Je voelde dat die onbeheersbaar was en dat ze je elk moment konden vermoorden. Ik herinner me een man die samen met Li in het leger had gezeten en bij wie allebei de benen er bij een explosie afgeblazen waren, zodat hij nog maar twee stompjes overhad. Hij was gestoord. Ik heb nog steeds nachtmerries over die man.

Ik probeerde de klant nooit aan te kijken. Ik deed niet net alsof ik hem leuk vond. Ik deed mijn ogen dicht en moest vaak huilen, hoewel niemand zich daar ooit iets van aantrok. Het waren politieagenten, winkeliers, soldaten, bouwvakkers. Jong en oud. Soms waren het vrachtwagenchauffeurs of taxichauffeurs die heel lange ritten maakten en die een bed huurden op de straten langs de Centrale Markt. Het waren alleen maar bedden: houten verhogingen met een klamboe erover, die mensen 's avonds op straat neerzetten. Die kon je voor ongeveer vijfentwintig dollarcent huren. Als je met een klant op zo'n bed lag was dat op weer een andere manier heel vernederend.

Het kwam heel vaak voor dat een man, meestal een Chinese man, een van ons betaalde en dan meenam naar een kamer waar dan tien of twintig mannen waren. Als zo iemand terugkwam, moesten we toch mee, ook al wisten we wat ons te wachten stond. Als we niet meegingen werden we gestraft.

We waren allemaal zwaar opgemaakt, als geisha's – een soort pasta die we van wit gezichtspoeder uit Thailand maakten, vermengd met kokosolie. Daardoor werd onze huid lichter, want dat wilden de klanten. Bovendien zag je zo onze blauwe plekken niet.

Het ergste was wel dat ik me voortdurend heel smerig voelde. Het bordeel van tante Peuve was smerig, de straten waren smerig, de bedden waren smerig. Ik had het gevoel dat ik naar sperma stonk. Ik haat die geur. Soms, zelfs nu nog, word ik overspoeld door die stank, meestal als ik met een meisje over haar ervaringen als prostituee heb gepraat. Nooit terwijl ik met haar praat; voor haar moet ik mezelf onder controle hebben, ik moet naar haar luisteren. Maar na afloop word ik erdoor overspoeld, ben ik misselijk, heb ik het gevoel dat ik stink. Het is net alsof ik nooit meer schoon zal zijn. Ik heb een kast vol geparfumeerde crèmes, maar niets neemt die stank weg.

In het bordeel probeerde ik me voortdurend schoon te maken. Ik had in Chup geleerd dat je tamarindebladeren in water met zout moest koken en dat je daar je wonden mee moest schoonspoelen. Dat deed ik zo vaak ik kon. De andere meisjes leken zich niet zo erg om hun hygiëne te bekommeren. Als je in een bordeel zit is er maar één werkelijkheid, en dat zijn de klanten, en daar wil niemand het over hebben. En tante Nop en tante Peuve hadden liever niet dat we met elkaar spraken.

Grootvader kwam zo nu en dan naar het appartement. Dan gaf tante Nop hem altijd geld. In het begin zei ik niets tegen hem – ik denk dat ik bang was. Maar op een gegeven moment – ik denk dat het de derde keer was dat hij langskwam – vroeg ik waarom hij me dit had aangedaan. Hij zei dat me dat niks aanging. Het was net alsof ik niet het recht had hem dat te vragen, en dat gevoel had ik ook. Ik had niet het recht hem dat te vragen of ertegen te protesteren. Ik was zijn eigendom, en zo stonden de zaken er nu eenmaal voor.

Zo nu en dan kwam de man van tante Nop naar de woning om geld te halen. Hij had bezwaar tegen de manier waarop ze haar geld verdiende, maar deed niets om het een halt toe te roepen, en hij was er niet vaak. Hij had nog een vrouw, en bij haar twee kinderen, en hij gokte ook veel. Toen ging hij dood. Het was een soort motorongeluk, geloof ik, ongeveer een halfjaar nadat ik in Phnom Penh was komen wonen. Om zijn schulden te betalen moest tante Nop haar appartementje verkopen.

Op een middag nam ze ons mee naar tante Peuve en liet ons daar achter. Wij waren, als eigendom, aan haar overgedragen. Van nu af aan werkten we niet alleen vanuit het bordeel van tante Peuve, maar we sliepen er ook, op de smerige matjes die in twee rijen op de vloer waren neergelegd, zo in het zicht vanaf de trap. Het was een verschrikking en als ik er nog aan denk rijzen de haren me te berge. Tante Peuve sliep in de hoek. Ze had met B2-blokken een kamertje gebouwd, dat ze altijd op slot had, dus ik ben er nooit binnen geweest. In de 'kamer' waar ik voor het eerst verkracht ben sliep de jongere zus van tante Peuve, op een groot bed achter een houten scheidingswand. Daar sliepen wij overdag vaak, allemaal bij elkaar. Achter een gordijn was een badkamer, waar we ons met een scheplepel en een bak vies water wasten.

Ik kan me niet herinneren dat er ramen waren. De gebouwen in de steegjes achter de markt stonden zo dicht op elkaar dat er sowieso niet veel daglicht doordrong. We verlichtten het vertrek met olielampen en veel later, toen er meer elektriciteit in de stad was, met een kaal peertje.

We kookten op een komfoor in de grote kamer waar de slaapmatjes lagen. De mensen die door het trappenhuis naar boven en beneden gingen, bleven vaak staan om te vragen wat we aan het maken waren. Boven woonden ook mensen – volgens mij waren het *motodup*-bestuurders, mensen die je betaalde om je op een motor door de stad te rijden of om boodschappen te doen. Ik ben nooit boven wezen kijken.

Overdag sliepen de bewakers bij ons in de kamer, en 's nachts werkten we. Tante Peuve was niet onvriendelijk tegen ons, zolang we maar deden wat ze zei. Soms praatte ze met ons. Ze was best knap, een jaar of dertig, veertig, denk ik, en ze had twee kleine kinderen die ook bij ons woonden. Ze had ook geen gemakkelijk leven. Li, haar man, sloeg haar en hij ging voortdurend met ons naar bed.

We liepen natuurlijk ziektes op, maar we hadden het geluk dat er in die tijd nog geen aids was. Als ik ziek werd wist ik wat ik moest doen, want ik had in Chup als verpleegster gewerkt. Ik kocht medicijnen en waste mezelf met tamarinde. Ik denk dat dat me heeft beschermd.

Als een meisje zwanger werd moest ze naar een vriendin van tante Peuve die abortussen deed. Dan kwam ze lijkbleek en bloedend terug. Maar zodra ze niet meer bloedde was ze onverbiddelijk: zodra je weer kon staan moest je terug naar de klanten.

De klanten kwamen soms rechtstreeks naar tante Peuve toe en soms moesten we in de straten rond de Centrale Markt gaan staan, vlak om de hoek. De meeste klanten noemden me 'khmao', net als de dorpelingen in Thlok Chhrov. Ik kon geen goede prijs vragen, want ik was maar een straathoertje. Ik had geen vaste klanten zoals sommige andere meisjes. Misschien kwam dat doordat ik niet glimlachte en een donkere huid had.

Maar één keer leek een man belangstelling voor me te hebben. Hij kwam een paar keer en we raakten bijna bevriend. Hij zei dat hij van me hield en met me wilde trouwen. Iets in mij wilde hem geloven – geloven dat er een uitweg bestond.

Ik denk dat tante Peuve er lucht van heeft gekregen, want ze zei dat ze me dood zou laten slaan als ik probeerde weg te komen voordat de schuld aan haar was voldaan. Maar de bewakers waren aan ons gewend geraakt en letten niet meer zo goed op. Toen ik op een avond van een klant terug moest lopen, ben ik gewoon niet gegaan. Ik ben naar die man toe gegaan.

Ik denk dat hij een jaar of dertig was. Hij was lelijk, maar hij praatte goed. En ik wilde hem geloven. De volgende ochtend nam hij me mee naar het vrachtwagenstation. Hij zei dat we naar Poipet moesten, aan de Thaise grens. Hij zette me achter in een vrachtwagen die naar Battambang ging en beloofde dat hij daar ook naartoe zou komen. Er zat nog een meisje in de vrachtwagen. Toen we die avond in Battambang aankwamen, werden we door de chauffeur en de andere mannen in de vrachtwagen verkracht. Mijn klant had ons aan de vrachtwagenchauffeur verkocht.

Ik was doodziek. Doodziek van dit alles. Alles boezemde me weerzin in, en ik moest overgeven. Toen de vrachtwagen de volgende dag in Svay Sisophon stopte, sprong ik eraf. Ik herinnerde me dat mijn adoptiemoeder daar familie had die uit China kwam. Ik informeerde overal en slaagde er eindelijk in hen te vinden.

Mijn neef en zijn vrouw namen me in huis. Ik zorgde voor hun kinderen en kookte en waste voor hen. Ik dacht dat ik onderdak had gevonden. Maar na een week ging de vrouw weg; ze verkocht goud op de markt, en daarvoor moest ze van huis. Toen ze een paar dagen weg was, bedreigde mijn neef me met het zuur waarmee hij het goud altijd schoonmaakte. Hij verkrachtte me en dreigde me te zullen doden als ik het aan zijn vrouw vertelde.

Ik kwam tot de conclusie dat de hele wereld hetzelfde was, dat alle mannen op elkaar leken. Na ongeveer een week smeekte ik hem me te laten gaan, en daar stemde hij uiteindelijk in toe. Hij gaf me zelfs een beetje geld en een vergulde ketting. Toen ik hem vroeg waar ik naartoe moest, zei hij dat ik met een vrachtwagen naar Battambang moest gaan en daar moest overnachten. De volgende dag moest ik een lift naar Phnom Penh regelen.

Toen ik al in Battambang was, zag ik zijn vrouw, die naar me op zoek was. Ze greep me op straat aan mijn haren beet en beschuldigde me ervan dat ik haar ketting had gestolen. Ze nam me mee naar het politiebureau, waar haar man haar verhaal bevestigde. Ze gooiden me in een cel; het was zonneklaar dat ik schuldig was, want de ketting zat in mijn tas.

Er waren een stuk of drie, vier politieagenten, en die zeiden: 'Als je hieruit wilt komen, moet je betalen,' maar ik had geen geld – dat hadden ze me afgenomen. De hele nacht sloegen en verkrachtten ze me om beurten. Ze zeiden dat dit een manier was om te betalen en opperden lachend dat ze ook nog al hun vrienden konden bellen. Het had geen zin om me te verzetten. Dan werd ik alleen nog maar harder geslagen, alsof ze dat wel verwachtten. De volgende ochtend lieten ze me gewoon gaan.

Maar ik kon nergens heen. Ik kon niet terug naar Thlok Chhrov. De enige die daar op me wachtte was grootvader. En ik mocht Mam Khon dan nog vader noemen, hij had nooit gezegd dat hij me tegen grootvader kon beschermen. Ik kon alleen naar de hoofdstad, Phnom Penh – iets anders kende ik niet.

Ik had geen geld en geen ketting, maar ik wist een taxichauffeur zover te krijgen dat hij me een lift naar de stad gaf. Ik was pas zestien en het woord KOOPWAAR stond met grote letters op mijn voorhoofd geschreven. Ik weet nu dat taxichauffeurs nauw met bordelen samenwerken; zij leveren niet alleen de meisjes, maar ook de klanten aan. Ik denk dat de taxichauffeur me herkend heeft of had gehoord dat ik vermist was – een donker meisje met lang haar, een wilde Phnong met een litteken op haar gezicht. Hij bracht me linea recta naar de Centrale Markt in Phnom Penh. Toen hij de auto stilzette, stond Li me op te wachten, samen met de bewakers.

Het was net alsof ik niets goed kon doen, alsof ontsnappen uitgesloten was. Ik had het gevoel dat ik dit lot op de een of andere manier met me meedroeg, alsof mijn leven door een duivel getekend was.

Li sloeg me met zijn stok en bond me naakt vast op een bed. Iedereen die langskwam kon me daar zo zien liggen. Ondanks alles wat ik had meegemaakt, was ik in wezen heel zedig, en dit was een verschrikkelijke ervaring. Die avond namen zijn broer en al hun vrienden me om de beurt, terwijl ik daar vastgebonden lag. En dat ging zo een week door. Ik was ziek en rilde van de koorts.

Ik denk dat Li toen heeft ontdekt waar ik echt heel bang voor was. Hij pakte de straffen grondig aan: hij wilde ons zo klein mogelijk maken. Hij moet zich gerealiseerd hebben dat die kelder me niet echt doodsbang maakte, want als ik naar beneden gebracht werd, krijste ik het niet hulpeloos uit, zoals de andere meisjes. Ik keek alleen maar boos naar de bewakers en bedacht dat ik hen op een dag zou vermoorden. Ik probeerde nooit te laten merken dat ik pijn had, want daar beleefden ze alleen maar genoegen aan.

Maar op een avond gooide Li een emmer vol levende maden over me uit. Walgelijke maden, zoals je die op vlees ziet. Toen hij zich realiseerde dat ik daar echt doodsbang voor was, begon hij ze wanneer ik sliep in mijn mond te doen en over mijn lichaam te gooien. Ik dacht dat ze zich bij me naar binnen zouden werken, mijn lichaam in. Daar heb ik tot op de dag van vandaag nachtmerries over.

Na Battambang zei ik tegen mezelf dat ik één keer had geprobeerd te ontsnappen en dat ik het niet nog een keer zou proberen. Het was toch overal hetzelfde, waar ik ook ging. En al haar fouten ten spijt was tante Peuve niet gemeen tegen ons, zolang we maar meewerkten, al weet ik nu dat dit een slavenmentaliteit is.

Dus zei ik tegen de andere meisjes: 'Het is buiten nog erger. Hier zijn we in elk geval beschermd tegen de politie.' En vanaf dat moment gaf ik me gewonnen.

5
Tante Peuve

Ik deed inmiddels bijna al het huishoudelijk werk voor tante Peuve. Ik wilde de boel schoonhouden, en door te koken, schoon te maken en voor de kinderen te zorgen, bezorgde ik mezelf wat rust. Tante Peuve begreep dat ik overstag was gegaan. Ze deed veel aardiger tegen me, vriendelijk zelfs. Ze zag dat ik schoon en eerlijk was en durfde me zelfs alleen thuis te laten – ze wist dat ik niet meer bewaakt hoefde te worden. Na een tijdje stuurde ze me er zelfs op uit om boodschappen te doen. Ze wist dat ik terug zou komen.

Ik begrijp wat ik indertijd deed, ik begrijp wat er met me gedaan werd, maar ik begrijp niet wat ik voelde, of waarom ik die dingen deed. Ik had het gewoon opgegeven.

Er woonden in die tijd een stuk of tien meisjes bij tante Peuve. Van nieuwe meisjes werd de geest gebroken, net zoals bij mij was gebeurd. Een doodenkele keer ging een meisje weg om in een speciale, exclusieve situatie met een klant te gaan samenwonen. Maar het kwam vaker voor dat een meisje gewoon op een nacht niet terugkwam en dat wij daar nooit de reden van te horen kregen. Misschien was ze ontsnapt. Misschien was ze verkocht.

Ik ken drie meisjes die vermoord zijn. Het eerste was een jong meisje, Srey, die op een avond met een klant en een van de oudere meisjes, Chethavy, meeging. Chethavy was lang en mooi, en ze kwam uit Kampong Cham. Ze was onderwijzeres geweest, maar haar man en schoonmoeder hadden haar naar het bordeel gebracht.

Op een ochtend kwam Chethavy vlak voor zonsopgang terug naar het bordeel gerend. Ze zei dat zij was ontsnapt, maar dat de klant Srey had doodgeschoten. Tante Peuve wilde niet dat iemand van ons de deur uit ging; we moesten onze mond houden en ze riep de bewakers om het af te handelen. Maar later die ochtend ben ik toch zelf gaan kijken. Het was in een steegje, net als het onze, één straat verderop, en toen ik de trap op liep, zag ik waar het gebeurd was: alleen een kaal vertrek, nauwelijks groot genoeg voor het bed, met niet eens een echte deur, alleen een gordijn, om het van het trappenhuis af te schermen. Het zag er net zo uit als veel andere kamers in Phnom Penh. Srey's lichaam was weg, maar er lag nog wel bloed op de vloer.

De klant was dronken en boos – meer hebben we er nooit over te horen gekregen. Misschien heeft Li hem laten betalen voor de gederfde inkomsten van Srey.

Het tweede meisje was Sry Roat, een meisje van mijn leeftijd, dat ongeveer een halfjaar na mij was gekomen. Ze was heel mooi, met een lichte huid, en mannen kozen haar altijd. Ik ben er nooit achtergekomen wie haar aan tante Peuve had verkocht: als een meisje niet praatte, stelde ik geen vragen. Ik was omgeven door mijn eigen stilzwijgen, onbereikbaar voor welk gevoel, zoals alle meisjes. Het verleden kon je maar beter vergeten. Je moest elke dag nemen zoals hij kwam, verdragen, en alleen maar hopen dat hij niet te gewelddadig zou verlopen. Elke andere hoop was volstrekt onrealistisch.

Maar Sry Roat wilde maar één ding: weg. En ze dacht dat een van de mannen die veel naar haar vroeg, haar echt leuk vond. Ze vroeg of hij haar wilde helpen ontsnappen. Ze wist niet dat hij een van Li's vrienden was.

Toen Li over Sry's plannen hoorde, kwam hij naar boven en

bond haar vast, zo voor onze neus. We hadden liggen slapen – het moet een uur of tien in de ochtend geweest zijn. Hij bond haar armen vast, hield een pistool tegen de zijkant van haar hoofd en schoot zo haar hersenen eruit. De andere meisjes huilden, maar ik keek naar hem. Toen hij haar doodgeschoten had, viel ze om. Haar hoofd ging over de rand van het bed en was voor de helft weggeschoten. Hij schoot nog twee of drie keer op haar, gewoon voor de lol, denk ik. Toen stopte hij samen met de bewakers haar lichaam in een rijstzak en nam haar mee.

Er is ook een keer een meisje door een politieagent vermoord, die een keer 's nachts laat langskwam. Hij was geen vaste klant en het was heel laat, een uur of twee. Dit meisje – ik weet niet eens meer hoe ze heette – wilde niet met hem mee. Ze was misselijk. Hij was dronken. We werden wakker van het geschreeuw. 'Kijk goed, jullie allemaal, want dit gebeurt ook ooit met jullie als jullie niet gehoorzamen,' zei hij, en *knal*, ze was dood.

Tante Peuve zei niets. Iedereen was bang voor die klant, omdat hij politieagent was. Iedereen in de buurt was ook bang voor Li, omdat hij veel wapens had en erom bekendstond dat hij heel gewelddadig was. Maar zelfs Li deed er niets aan. De politieagent ging weg en de bewakers namen haar mee in een rijstzak, net als bij Sry. We waren afval in ons leven en afval in onze dood. Ze hebben de zak waarschijnlijk op de openbare vuilstort gegooid.

Meestal zei ik geen woord. Ik deed wat me werd gezegd. Ik hield mezelf voor dat ik dood was. Ik voelde voor niemand genegenheid – niet voor de kinderen van tante Peuve, niet voor een van de andere meisjes. Ik voelde wel medelijden. Als een ander meisje het echt heel zwaar had of als iemand haar erge pijn had gedaan, bood ik wel eens aan om in haar plaats naar een klant te gaan. Maar meestal voelde ik alleen maar haat.

Eén keer heb ik echter twee meisjes laten ontsnappen. Ze waren nieuw, zo van het platteland, en ze leken op elkaar, allebei met lang, donker haar. Tante Peuve had ze vastgebonden, en ze huilden. Ik wist wat hun te wachten stond, dat ze gebroken zouden worden. Ze zouden vanbinnen sterven, net als ik. En om de een of andere reden wilde ik niet dat dat ook met hen zou gebeuren.

Het waren niet de eerste nieuwe meisjes die ik had gezien, en ook niet de jongste – ze waren een jaar of veertien. Maar toen tante Peuve de deur uit ging en ze bij mij achterliet, heb ik ze losgemaakt. Ik zei alleen maar: 'Jullie moeten hier niet blijven.' Iets anders had ik niet te zeggen; ik wilde helemaal niet praten, en verder viel er niets te zeggen. Ze keken me aan en gingen er zonder een woord vandoor.

Ik kreeg straf. Li sloeg me heel hard. Zijn kinderen huilden, omdat ze erg op me gesteld waren. Maar Li had inmiddels elektroden met een soort accu van een auto verbonden. Die brandden in je huid. Ik draag er nog de littekens van. Ik werd naar beneden gebracht en drie, vier dagen lang geslagen. Ik had het gevoel dat ik vanbinnen bloedde. Naderhand kon ik een paar dagen niet werken, en toen ik weer begon, moest ik nog harder werken om de verliezen goed te maken. De meisjes hadden twee gouden *chi* gekost, ongeveer acht Amerikaanse dollars. Daarna kwam ik tot rust en heb ik nooit meer zoiets gedaan.

Mijn straf was wreed, maar de manier waarop ze prostituees vandaag de dag straffen is veel erger dan ik ooit heb meegemaakt. Toen ik bij tante Peuve was, bestond de straf, op die ene keer met de elektriciteit na, voornamelijk uit slaag en uit onze eigen angst – de slangen bijvoorbeeld. Tegenwoordig zie ik meisjes in bordelen bij wie spijkers in de schedel geslagen zijn. Dat klinkt ongeloofwaardig, maar daar hebben we foto's van. Meisjes worden vastgeketend en met elektriciteitskabels geslagen. Ze worden gek. We hebben diverse kinderen uit bordelen gered die helemaal krankzinnig geworden waren.

Onlangs zijn er in het riool in de buurt van een bordeel een paar dode meisjes gevonden: ze waren verdronken. Ook heeft de politie na een brand een keer diverse lichamen van meisjes aangetroffen, nog steeds vastgeketend. Ze weten wie de eigenaar van dat bordeel was – dat weet iedereen, maar hij is niet opgepakt en er wordt niets aan gedaan. Hij heeft te veel connecties, en de meisjes zijn toch onbelangrijk.

De snijwonden en striemen die we vandaag de dag bij ontsnapte prostituees zien zijn onvoorstelbaar. Dat doen de klanten, of de pooiers. Misschien komt het door de invloed van Chinese films, die vol martelscènes zitten. De pooiers kijken er gretig naar, net als veel andere mannen.

Tegenwoordig zijn de meisjes ook veel jonger. Dat komt doordat mannen in Cambodja graag duizend dollar betalen om een maagd een week lang te kunnen verkrachten. Het is altijd een week, voor een maagd. Aan seks met een maagd zou een man kracht ontlenen, hij zou er langer door leven en zelfs zijn huid zou er lichter van worden.

Om duidelijk te maken dat de bordelen echte, betrouwbare maagden aanbieden, verkopen ze tegenwoordig kinderen. Vaak zijn het heel jonge meisjes, van maar vijf of zes jaar oud. Als de week voorbij is, naaien ze het meisje vanbinnen dicht – zonder verdoving – en verkopen ze haar snel nog een keer. Een maagd hoort het uit te schreeuwen en te bloeden, en daar zorgen ze op die manier voor. Het meisje schreeuwt en bloedt, elke keer weer. Dat doen ze misschien wel drie of vier keer.

Bordelen die gespecialiseerd zijn in maagden voor rijke mannen zijn verdorven oorden. Na een paar maanden zakt de prijs van het meisje en dan verkopen ze haar door. Er is veel vraag naar nieuw bloed en de meeste bordeelhouders hebben connecties in de familie – er is altijd wel een neef die ook in de handel zit, in Battambang of Poipet, die een meisje wil overnemen of haar wil ruilen.

Mensen denken dat ze door seks met een maagd beschermd zijn tegen ziekte, en dat is ook een reden waarom voor een jong meisje zo veel geld wordt betaald. Mensen gebruiken ze als medicijn tegen aids. Maar de kleine meisjes scheuren veel erger uit dat volwassen vrouwen en krijgen ook eerder aids.

Toen ik bij tante Peuve woonde, werd er niet dichtgenaaid en waren er geen kleine kinderen. Tante Peuve handelde in jonge meisjes, maar ze waren nooit jonger dan twaalf jaar. Als er een meisje van het platteland kwam, zei ze gewoon tegen de klanten: 'Het is een nieuwkomer,' maar ik weet niet of dat ook betekende dat ze meer geld kreeg. Volgens mij was er in die tijd niet zo'n markt voor maagden als nu. Onder het communisme was er ook veel minder geld.

Dit was gewone prostitutie. Stinkende monden en lichamen, vieze kamers, geweld. Als je geslagen werd deed dat pijn, maar de daad zelf was veel erger. Soms had je maar twee of drie mannen op een dag, soms veel meer. Als het er niet genoeg waren, zei Li tegen tante Peuve dat ze ons niet te eten mocht geven, zodat we harder ons best zouden doen. Als het er te veel waren, had je vanbinnen en vanbuiten pijn, totdat je erin slaagde je voor alle gevoel af te sluiten.

Het gebeurt nog steeds, vandaag, vannacht. Stelt u zich eens voor hoeveel meisjes er verkracht en geslagen zijn sinds u in dit boek begonnen bent. Mijn verhaal doet er niet toe, behalve dan dat het ook hun verhaal vertegenwoordigt, en hun verhalen houden me 's nachts uit mijn slaap. Ze laten me niet los.

Mom, het meisje met de donkere huid uit het huis van tante Nop, ging vaak naar haar moeder toe. Ze had een ander soort regeling met tante Peuve, deels uit vrije wil. Tante Peuve betaalde Mom, en Mom bracht dat geld elke week naar haar moeder. Ik ging wel eens met haar mee; ik had verder niemand in Phnom Penh bij wie ik op bezoek kon gaan.

Moms moeder beschuldigde Mom ervan dat ze lui was en sloeg haar vaak. Ze vond dat ze nooit genoeg geld kreeg. Ze huurde nog steeds een kamer bij tante Nop, een paar straten bij ons vandaan. Soms was tante Nop er ook als we op bezoek kwamen en dan gaf ze me thee of iets anders te drinken. Ik had een hekel aan haar – ik heb die vrouw nooit gemogen – en ik vond het vervelend als ze er was, maar ze deed alsof ze mij wel aardig vond. Dus ging ik zitten en gaf antwoord als ze me iets vroeg.

Het moet in 1987 geweest zijn toen tante Nop me vertelde dat grootvader ziek was. Hij was blijkbaar regelmatig bij haar langs geweest om meer geld te krijgen. Ik denk dat hij mijn verblijf bij tante Peuve had verlengd, hoewel ik in die tijd geen idee had hoe het systeem werkte – ik wist niet dat ik voor een steeds hoger wordende lening werkte. Maar goed, nu was grootvader ziek, zei tante Nop, en hij vroeg naar me.

Ik ben niet teruggegaan naar Thlok Chhrov om hem op te zoeken. Ik was inmiddels zeventien en ik was al bijna twee jaar prostituee. Ik had gezien dat Li mijn vriendin Sry Roat had doodgeschoten. Ik was een en al woede en ik was niet meer bang voor grootvader. Ik had ook geen zin om terug te gaan naar het dorp. Mensen hadden toen ik nog maar een kind was rot tegen me gedaan, ze zouden pas echt gemeen tegen me zijn nu ik prostituee was.

Tante Nop zei niets toen ik liet weten dat ik in Phnom Penh zou blijven en niet op bezoek zou gaan bij grootvader. Ze keurde het niet af en ze keurde het niet goed – zij had haar plicht gedaan. Een paar maanden later vertelde ze me dat grootvader dood was, en voor het eerst in jaren voelde ik me gelukkig. Ik had er vaak van gedroomd dat ik hem vermoordde.

Maar zijn dood betekende niet dat ik vrij was. Tante Nop zei dat ik nu alle schulden van grootvader moest terugbetalen. Na zijn dood beweerden allerlei mensen dat hij hun geld schuldig was, en ik moest hen terugbetalen. Ik weet niet hoe ik dit moet uitleggen, maar zo was het nu eenmaal. Hij had voor me gezorgd, ik was zijn 'kleinkind' en ik was zijn bediende, dus zijn schulden gingen op mij over.

Ik verzette me er niet tegen. Ik leefde gewoon van dag tot dag. Ik had nooit van welke klant ook geld ontvangen – ze betaalden aan tante Peuve – dus voor mijn leven maakte het geen verschil. Mijn lichaam was niets, had geen waarde.

Ik begreep inmiddels wel dat ik in feite een vaststaand bedrag terugbetaalde en dat dat bedrag op een dag voldaan was. Ik weet niet of Mom me dat heeft uitgelegd of dat tante Peuve me de rekening heeft laten zien. Ze vertrouwde me onderhand wel; ze praatte tegen me en behandelde me meer als haar gelijke. Ik was onderhand achttien en volwassener.

De zaken gingen niet zo goed voor tante Peuve – ze had nog maar vier meisjes. Li gokte veel, en misschien was dat wel de reden waarom het bergafwaarts ging. Ik was ook een tijdje ziek geweest, met hoge koorts. Dat betekende dat ik haar alleen maar geld kostte; mijn eten kan niet erg duur geweest zijn, maar er waren minder klanten en ik verdiende niet veel.

Toen ik drie jaar voor tante Peuve gewerkt had, vertelde ze me dat ik mocht gaan. Dit was ongeveer acht maanden nadat ik had gehoord dat grootvader was overleden. Ze zei het niet met zoveel woorden; ze vertelde dat een van de klanten aangeboden had met me te trouwen en ze raadde me aan op het aanbod in te gaan.

Deze man bestuurde een motodup, een motortaxi, en hij was een heel gemeen sujet, en nog vies ook. Hij had iets wat me tegenstond en ik probeerde altijd te voorkomen dat ik met hem mee moest. Hij was een vaste klant van een van de oudere meisjes, Heung. Als Heung bij hem geweest was kwam ze altijd onder de blauwe plekken terug, al kwam dat wel vaker voor.

Misschien heeft tante Peuve me uit vriendelijkheid aangeraden om met deze man te trouwen, want ik weet zeker dat ik de schuld van grootvader inmiddels al vele malen had terugbetaald. Maar ik durf te betwijfelen of het een teken van echte vriendschap was. Misschien kon ze met mij niet meer zoveel verdienen. Ik vroeg me af of de motodupbestuurder haar had aangeboden me te kopen en of tante Peuve me zover probeerde te krijgen dat ik wegging.

Ik ging niet op het aanbod in. Ik had niet de indruk dat ik bij de motodupbestuurder veiliger of beter af zou zijn – hij was niet eens rijk. Ik wist inmiddels wel dat een meisje in de straten van Phnom Penh een commercieel artikel was. Zelfs als ik bij tante Peuve wegging zou ik, omdat ik arm was, toch gewoon weer door iemand verkocht worden. En dat was prima, want daar werd diegene rijk van.

Ik zei tegen tante Peuve dat ik bleef. Maar door deze ervaring realiseerde ik me wel dat er misschien een manier bestond om uit het bordeel te komen. Ik kon verder niets, en ik kon nergens heen, behalve naar een ander bordeel, maar ik begon toch te vermoeden dat er een uitweg was, net zoals Mom die had gevonden, en daar verlangde ik erg naar.

Ongeveer een maand nadat de motodupbestuurder had aangeboden me te kopen, kwam er een andere man langs. Hij heette Min. Hij was handelsreiziger – een gewone klant, hoewel hij niet zo wreed was als de meesten.

Ik voelde helemaal niets voor Min: ik zag alleen een trap die ik op kon lopen, een uitweg. Toen hij vroeg of ik bij hem wilde komen wonen, ging ik daar 's nachts slapen. Zijn hutje stond op het dak van een gebouw bij de rivier, in een buurt die wij 'Vier Rivieren' noemen, waar de Tonle Sap samenstroomt met de Mekong. Het was een soort schuurtje, gemaakt van allerlei stukken hout en metalen platen, zoals zoveel krotten in de stad. Min gaf me twee dagen te eten en zorgde voor me, en toen zei hij dat hij geen geld meer had en dat ik dat voor ons beiden moest gaan verdienen. Hij zei dat hij een bedrijf aan het opzetten was, een winkel waar we allebei konden werken – hij was er nogal vaag over, en volgens mij was het niet waar.

We hadden niet echt een overeenkomst. Ik was niet officieel weg bij tante Peuve, maar ik begon nu wel voor Min te werken. Terwijl ik op een klant stond te wachten hield hij op zijn motor voor mij de wacht. Ik werkte ook voor tante Peuve. Gedurende een paar weken werkte ik 's avonds meestal vanuit de woning van tante Peuve en overdag voor Min, om geld te verdienen 'voor ons samen'. Toen ik me realiseerde dat hij tegen me loog, net als iedereen, ben ik ermee gestopt.

Uiteindelijk ben ik teruggegaan naar de woning van tante Peuve. Min was heel kwaad. Maanden later viel hij me nog steeds lastig over geld. En ik raakte er steeds meer van overtuigd dat er maar één manier was om uit de prostitutie te komen. Ik moest een rijke man zien te vinden.

6

Buitenlanders

Soms – heel soms – kreeg ik een woedeaanval. Misschien kwam dat door de Phnong in mij: dan ging ik plotseling door het lint en kwam ik in opstand. De eerste keer dat dat gebeurde, was toen ik de twee meisjes had laten gaan en daarvoor heel zwaar werd gestraft. De keer daarop was aan het eind van mijn jaren bij tante Peuve. Toen heb ik een klant neergeschoten.

Het zou wel eens nieuwjaarsdag 1989 geweest kunnen zijn, want de blanke mensen waren allemaal iets aan het vieren. Er waren in 1988 en 1989 plotseling veel meer blanke mensen, en het waren geen Russen en Oost-Duitsers, zoals vroeger altijd. Het waren Fransen, Italianen en Engelsen, en ze waren naar Cambodja gekomen omdat de Vietnamese soldaten weggingen. In Parijs vonden vredesonderhandelingen plaats, en de nieuwe blanke mensen waren merendeels van hulporganisaties, zoals het Rode Kruis. Hoe dan ook, op de avond dat ik die man neerschoot klonk er op straat veel geschreeuw en gelach van dronken blanken – het was een of andere feestdag.

De klant die ons had ingehuurd, was een man die altijd Mom en mij koos. Als hij bij tante Peuve kwam probeerden we altijd weg te glippen, maar keer op keer koos hij ons, hoewel hij soms ook andere meisjes meevroeg. Dan nam hij ons mee naar een kamer waar tien of vijftien mannen zaten, en die waren altijd dronken. Eén keer hebben ze ons gedrogeerd.

Ze gaven ons iets te drinken en toen we wakker werden, zaten we onder de blauwe plekken. Deze man klaagde altijd over ons tegen Li, dus werden we afgeranseld. Het was een grote man, een onmens die graag zijn vuisten gebruikte.

Mom was inmiddels weer terug bij tante Peuve, want haar vriend, de soldaat Roen, was weg, en haar moeder had geen geld meer. Die avond koos de klant alleen ons twee uit. Hij reed helemaal met ons naar Ken Svay, een dorp buiten Phnom Penh – misschien kwam hij daar vandaan. Hij was dronken en het was laat, en zo te zien waren er geen andere mannen bij. Hij nam ons mee naar een kamer boven een café en hij bleef maar drinken.

Het was heel laat en hij had al uren gestaag door gedronken, maar toen begon hij opeens tegen ons te schreeuwen en schoot hij op Mom. Hij schoot niet zomaar in het wilde weg, nee, hij zat aan de tafel met een pistool en schoot om haar heen, alleen om haar bang te maken, zoals mijn man vroeger deed toen ik met hem in Chup woonde. Hij was kwaad, maar hij genoot ervan. Toen ging hij naar de wc; hij was zo dronken dat hij zijn pistool op tafel liet liggen. Ik pakte het.

Mom zei: 'Kun jij schieten?' en ik keek naar haar en ging de badkamer in. De klant was bang en zei: 'Niet doen, khmao,' en toen schoot ik op hem. Ik was ontzettend kwaad.

De kogel kwam in zijn been. Hij schreeuwde het uit, maar waarschijnlijk kon niemand hem horen door het kabaal op straat. Ik wilde hem echt doden, maar ik dacht aan zijn vrouw – natuurlijk had deze man een vrouw, en waarschijnlijk dochters ook. Dus bonden we een sjaal voor zijn mond, lieten hem daar liggen en namen de benen. Hij was echt doodsbang, en wij ook. We renden zo ver we konden en bij zonsopgang vonden we een motodup die ons terugbracht naar het bordeel.

De man kwam uiteindelijk terug naar tante Peuve om te klagen, maar dat was pas weken later – ik denk dat hij te bang was of dat hij misschien in het ziekenhuis lag. Tegen die tijd had ik al bescherming: ik had Dietrich gevonden.

Dietrich werkte bij een van de grote hulporganisaties in Phnom Penh, en op een avond pikte hij me op van straat. Terwijl ik op het trottoir stond zag ik de Toyota Land Cruiser met het logo van de hulporganisatie langzaam voorbijrijden, toen een blokje om rijden, terugkomen en halt houden.

Tante Peuve hield me zoals altijd in de gaten, en zij deed de onderhandelingen en nam het geld aan. Het was de allereerste keer dat ik een blanke klant had, en ik vond hem er maar vreemd uitzien. Hij was een jaar of achtentwintig, veel langer dan welke Khmer ook, en zijn haar was over het midden van zijn hoofd lang en verder overal kort.

Dietrich nam me ook niet zomaar mee naar een kamer. Hij nam me eerst mee naar een stalletje, want hij had honger en wilde iets eten. Hij sprak hooguit acht woorden Khmer en ik sprak al helemaal geen Zwitsers-Duits, maar hij kocht iets te eten voor me en dat had nog nooit een klant gedaan, en hij probeerde met me te praten. Hij hing de pias uit, deed dingen na en probeerde me aan het lachen te maken. Hij duwde mijn mondhoeken omhoog om me maar aan het glimlachen te krijgen. Hij nam me mee naar de pensionkamer die hij gehuurd had en daar zag ik voor het eerst in mijn leven een matras. Ik was heel onzeker. Ik wist niet wat deze buitenlander met me zou doen. Ik dacht dat blanken misschien anders waren dan Khmer. Hij ging op het bed zitten en klopte erop, ten teken dat ik naast hem moest komen zitten. Maar toen ik ging zitten, voelde het heel zacht, alsof iets me opslokte, en ik sprong doodsbang op. Deze klant lachte weer en gebaarde dat ik de badkamer in moest gaan en me moest wassen.

Ik was blij dat ik even van de matras verlost was, want die vond ik echt heel eng, maar de badkamer was ook vreemd. Hij was heel schoon, maar ik zag nergens het waterbekken waar ik me kon wassen. Het enige water dat ik tussen de glanzende kranen en lege witte bakken zag was een piepklein beetje onder in de wc. Ik had nog nooit zo'n wc gezien, dus ik dacht dat dit de waskom was. Ik spetterde het water in mijn gezicht en dacht: is dat alles waar de blanken zich mee wassen?

Toen ik de kamer weer in ging, zei Dietrich in gebarentaal tegen me: 'Heb je gedoucht?' en ik schudde van nee. Hij ging de badkamer weer in en deed een glanzend ding aan, een soort slang, en die kwam plotseling tot leven en spoog naar me. Ik sprong achteruit, want ik wist zeker dat dit ding kwaad wilde en me pijn zou doen. Ik was bang, dacht dat het een soort spook was en rende gillend de badkamer uit. Dietrich moest me uitleggen wat stromend water was: de leidingen, de douchekop. Het was een volslagen andere wereld. Ik was bang dat alles onder water zou komen te staan en dat ik zou verdrinken. Ondanks mijn angst probeerde ik toch te douchen, helemaal met een handdoek om me heen en de deur open, zodat ik naar buiten kon rennen als het spook terugkwam. Dat was de eerste keer in mijn leven dat ik echte zeep gebruikte, en ik weet nog hoe lekker ik die vond ruiken, als een bloem. Zeep is duur, en het enige wat wij ooit gebruikten was zeeppoeder, waar je kleren mee waste.

Na mijn douche deed Dietrich met me wat zo'n beetje alle klanten deden, hoewel hij me niet sloeg. Hij bracht me ook met de auto terug naar de woning van tante Peuve en gaf me extra geld. Dat had ook nog nooit eerder iemand gedaan. Het was veel geld. Hij gaf tante Peuve vijftig dollarcent voor me, maar mij gaf hij twintig dollar.

Dietrich kwam me altijd in het bordeel van tante Peuve ophalen, maar ik merkte wel dat hij dat niet prettig vond. Soms stuurde hij zijn tolk naar me toe – een Cambodjaanse man die op het kantoor van Dietrichs hulporganisatie werkte. Als ik bij Dietrich was, bracht ik de hele nacht met hem door in een mooie kamer in een klein hotel of in het appartement van een van zijn vrienden. De volgende ochtend bracht hij me altijd terug, met geld voor tante Peuve en geld voor mij.

Soms gaf Dietrich me zo veel geld dat ik een paar weken helemaal niet voor tante Peuve hoefde te werken. Ik gaf het grootste deel aan haar, ging dan weg en sliep een paar nachten bij andere meisjes die ik kende. Een van hen was Heung, die nu op zichzelf woonde. Tante Peuve had haar de deur uit gezet – ze was minstens achtentwintig en dat was oud voor een prostituee; bovendien was ze ziek, dus ze verdiende niet veel geld. Maar Heung verkocht zichzelf nog steeds op straat, hoewel ze niet veel klanten had. Ze kon het hok dat ze van een andere vrouw, Phaly, ook een prostituee, huurde bijna niet betalen. Hun hok bevond zich op een dak en stond op instorten; je kon het nauwelijks nog een afdakje noemen.

Ik bracht altijd cadeautjes voor Heung mee en bleef dan een paar nachten bij haar. Of ik ging naar Chettra, een meisje dat bij tante Peuve was weggegaan en nu als maîtresse bij een Khmer-winkelier in huis woonde. Chettra was van een etnische minderheid, net als ik. Ze was een Stieng, uit de heuvels zo'n honderd kilometer ten zuiden van het dorp waar ik was opgegroeid. We vonden dezelfde dingen lekker, en ik ging graag naar haar toe, als de winkelier niet thuis was, en dan kookten we pittige pepergerechten.

Na een paar weken hield Dietrich op met hotelkamers huren en nam hij me mee naar zijn huis. Hij woonde in een grote villa in de buurt van het Calmette-ziekenhuis, met een poort die door een bewaker werd opengedaan. Het huis had een veranda met Franse zuilen, zijden kussens op de bank en een schoonmaakster. Toen ik het voor het eerst zag, kon ik mijn ogen niet geloven. Ik was eraan gewend dat klanten me meenamen naar schimmelige touwbedden op straat.

Ik hield niet van Dietrich. Hij was wel leuk. Hij was aardig, hij sloeg me niet en hij deed zijn best om met me te communiceren, hoewel hij nooit veel Khmer heeft geleerd. We spraken in gebarentaal. Ik was negentien jaar en heb veel van hem geleerd. De eerste keer dat Dietrich me meenam naar een restaurant voor blanken heb ik een lelijk figuur geslagen. Het was in het Thailan Pailin, dat nu een heel chic hotel is. Ik rook kip; het rook ontzettend lekker. Ik had een mooie, glanzende roze jurk aan. Die had ik onlangs laten maken, maar ik merkte wel dat Dietrich hem niet mooi vond.

Toen ik kip bestelde, kwam die gebraden op tafel: een hele poot, aan één groot stuk, met een mes en een vork ernaast. Hoe moest ik nou weten hoe je met mes en vork at? In Cambodja sneden we het vlees in kleine stukjes en aten we met een lepel of met onze vingers. Ik wist dat de mensen hier zouden denken dat ik een wilde was als ik op de Cambodjaanse manier at.

Dus ging ik moedig met het bestek aan de slag, maar bij elke poging om de kip te snijden vloog hij bijna van mijn bord af. Hoe meer ik het probeerde, hoe moeilijker het werd. Terwijl ik wachtte tot ik hem in bedwang kreeg, slikte ik mijn rijst door. Ik kon Dietrich niet vragen me te helpen, want we konden bijna niets tegen elkaar zeggen en hij leek er niets van te merken. Mijn frustratie werd met de minuut groter. Dietrich maakte een teken waarmee hij mij vroeg: 'Ga je je kip niet opeten?' Ik schudde mijn hoofd. De tijd verstreek en op een gegeven moment nam de ober het bord weg, terwijl het water me letterlijk in de mond liep. Die nacht droomde ik over die arme kip die ik niet had kunnen opeten.

Toen ik op een avond met Dietrich in zijn Land Cruiser zat, zag ik mijn adoptievader, de onderwijzer, en een van zijn jonge zoons. Ze reden op een motor naast de auto van Dietrich en gebaarden naar me. Vader zag er gerimpeld, uitgeput en heel arm uit. Ik vroeg Dietrich of hij wilde stoppen en ik stapte uit. Vader zei dat hij naar me had gezocht; hij had gehoord dat ik in een bordeel zat. Hij zei dat hij zijn visnetten en zijn boot had verkocht, zodat hij naar Phnom Penh kon komen om me te zoeken. Hij wilde me mee terug nemen naar het dorp, waar ik veilig zou zijn.

Ik werd overspoeld door schaamte. Ik was niet netjes gekleed en zat in de auto van een buitenlander: ik zag eruit als een hoer en was dat ook. Ik kon niet terug naar Thlok Chhrov met deze brave man die ik te schande had gemaakt, en de dorpelingen onder ogen komen als de prostituee uit Phnom Penh. Ik kon het niet, en ik kon de confrontatie met vader niet aan. Ik stapte zo snel ik kon weer in en zei tegen Dietrich dat hij door moest rijden. Ik schaamde me zo erg dat ik er niet eens aan dacht om mijn adoptievader geld te geven. Ik heb niet eens iets tegen hem gezegd. Toen we wegreden, huilde ik.

Dietrich gaf me geld en ik genoot van de vrijheid die ik daarmee kreeg en de kleren die ik ermee kon kopen. Het waren gewoon broeken en T-shirts, maar het waren kleren die niet 'hoer' uitstraalden – het soort kleren dat leuke mensen dragen. Toch was Dietrich gewoon een klant, en ik kon niet van hem op aan. Hij zei nooit wanneer we elkaar weer zouden zien en hij was vaak weken achtereen weg voor zijn hulporganisatie. Als het moest werkte ik nog steeds voor tante Peuve.

Ik stond nu niet meer langs de kant van de weg, rond de Centrale Markt, maar ik ging naar een hotel, het Samaki, dat vandaag de dag Hotel Le Royal heet – de meest luxueuze gelegenheid van Cambodja. Daar had je veel buitenlandse mannen en die wachtte ik op in de bar. Cambodjanen vonden mijn donkere huid lelijk, maar buitenlanders vonden de kleur wel mooi, en ook mijn haar, dat helemaal tot op mijn rug hing. Buitenlandse mannen sloegen de meisjes niet zoals de Khmer-klanten. Ze namen je mee naar betere plekken. En ze betaalden meer.

Dietrich stelde voor dat ik zijn 'speciale vriendin' zou worden. (Dat moest hij via zijn tolk aan me uitleggen, zodat ik echt begreep wat hij bedoelde.) Ik zou dan bij hem komen wonen en hij zou me zakgeld geven. Hij gaf me een sleutel van zijn huis. Ik ging niet eens meer terug naar tante Peuve om mijn spullen op te halen.

Ik vond het heerlijk om in het huis van Dietrich te wonen, met alle luxe en comfort van dien. Maar ik had nooit het gevoel dat ik er echt woonde. Ik heb nooit echt leren koken in zijn keuken, die ik maar griezelig vond, en hij at toch altijd buiten de deur – vaak met zijn vriend Guillaume, en altijd Europese gerechten, in restaurants voor buitenlanders, nooit rijst en prahocsaus en specerijen.

Maar Dietrich was wel een goed mens. Hij vond het niet prettig dat ik huilde als we seks hadden, maar dat deden we meestal in het donker, dus hij merkte het niet altijd. Hij was ook rijk – naar Cambodjaanse maatstaven althans – en hij was blank, hetgeen betekende dat hij macht had, en dat betekende weer dat niemand mij nog kon lastigvallen. Toen Min, de man met wie ik heel even in het hutje op het dak had samengewoond, me had opgespoord en tegen me schreeuwde dat hij geld wilde hebben, stuurde de bewaker bij Dietrichs poort hem weg. Dat was fijn.

Maar Dietrichs contract in Cambodja liep ten einde en hij moest terug naar Zwitserland. Ongeveer een halfjaar nadat ik hem had leren kennen kwam hij met zijn tolk naar huis om met me te praten, want hij wilde zeker zijn dat ik het begreep. Hij zei dat hij wegging, voor altijd, maar dat hij me graag mee wilde nemen als ik naar Zwitserland wilde.

Het kwam me onwerkelijk voor. Ik wist niets over Zwitserland en eigenlijk ook niets over Dietrich, hoewel ik al een paar maanden bij hem woonde. Mijn vriendinnen, Chettra en Mom, dachten dat hij misschien van plan was me te verkopen zodra we in Europa waren. Ik vertrouwde Dietrich op een bepaalde manier ook niet; ik begreep hem niet, snapte nooit goed waarom hij bepaalde dingen deed. Ik dacht dat ik misschien wel veel slechter af was als ik uit Cambodja wegging, naar een land waar ik niets begreep, zelfs de taal niet.

Voordat Dietrich vertrok gaf hij me duizend dollar. (In Cambodja gebruiken we voor grote bedragen Amerikaanse dollars; de nationale munt, de riel, is alleen voor kleine bedragen.) Het was voor mij een onvoorstelbare hoeveelheid geld, iets in de trant van wat honderdduizend dollar nu voor me zou zijn. Hij liet zijn tolk zeggen dat ik met dat geld een motor moest kopen, naar school moest gaan en een eigen bedrijfje moest beginnen. Hij zei dat ik het moest gebruiken om een nieuw leven te beginnen. Dietrich wilde niet dat ik de prostitutie weer in moest. Hij was een fatsoenlijk mens.

Toen hij weg was, ging ik terug naar tante Peuve en gaf haar honderd dollar. Ik weet niet waarom ik dat gedaan heb, maar dat deed ik in elk geval. Ik denk dat ik, heel stom, dacht dat zij op me gesteld was. Ook Mom en Chettra gaf ik ieder honderd dollar. Heung kon ik niet vinden; ze woonde niet meer in haar schuurtje en niemand wist waar ze naartoe was. Maar ik gaf alle meisjes van tante Peuve ieder vijftig dollar. Ik betaalde hun vrijheid, als ze die wilden hebben, en daar heb ik nooit spijt van gehad.

Volgens mij was dat de laatste keer dat ik in het bordeel van tante Peuve geweest ben. Ik heb die straat sindsdien altijd gemeden. Als ik er in de buurt kom gaat mijn huid jeuken en begin ik te zweten. Ik kan het niet opbrengen; ik neem altijd een andere route.

Nu moest ik bedenken wat ik verder ging doen. Voor Dietrich vertrok vroeg hij aan zijn vriend Guillaume of die voor me wilde zorgen. Guillaume was ook een Zwitser, en als ik iemand ter wereld dank verschuldigd ben, is hij het wel. Ik mocht van hem in zijn villa wonen en hij vond werk voor me: ik maakte het huis schoon voor zijn vriendin Liana, een Italiaanse. Ik verdiende twintig dollar per maand. Dat was genoeg.

Guillaume nam me mee naar het gebouw van de Alliance Française in het centrum en schreef me in voor een cursus Frans. Ik had er niet meer genoeg geld voor, dus Guillaume heeft voor me betaald. Hij heeft nooit een vinger naar me uitgestoken, heeft nooit misbruik van me gemaakt; hij wilde gewoon aardig zijn voor een ander mens. Hij is nog steeds een goede vriend van me.

Ik vond het leuk bij de Alliance Française. Je hoefde natuurlijk geen uniform te dragen, maar ik kocht een donkerblauwe rok en een witte bloes en die streek ik altijd heel netjes voordat ik naar de les ging. Die kleren betekenden iets voor me, iets wat schoon en eerlijk was, als een masker voor de smerigheid die eronder lag. Ik had een diep verlangen om te doen alsof ik een leuke jonge studente op de Alliance Française was, met boeken onder mijn arm.

Ik leerde niet veel; Frans was moeilijk. Toen grootvader me aan mijn echtgenoot in Chup verkocht, was ik net van de basisschool. Ik kon lezen en krullerige Khmer-letters schrijven, maar de rechte letters van het Romeinse alfabet waren heel anders. Ik had maar één keer per week les, maar langzaam maar zeker begon ik een paar woorden te begrijpen. Ik vond het heel leuk om iets te leren en deed ontzettend mijn best.

Soms ging ik met Chettra en Mom naar de nachtclubs waar Dietrich me mee naartoe had genomen en waar veel buitenlanders waren. Mom werkte weer voor tante Peuve, en als we uit dansen gingen pikte zij klanten op. Ik heb daar ook een paar mannen ontmoet. Hendrik, een Amerikaan die in Singapore werkte. Dino, een Italiaan. Het was niet echt prostitutie, want deze relaties duurden langer dan een nacht, maar het kwam er wel in de buurt.

Ik was al vier jaar prostituee in Phnom Penh en wist niet hoe ik uit het systeem moest komen. Ik wilde wel, maar in gedachten zat ik gevangen. Ik was niets waard. Ik was *srey kouc*, onherstelbaar kapot. Ik was vies en durfde niet te hopen dat ik ooit weer schoon zou worden.

Guillaume kende veel mensen en hield feesten. Al zijn vrienden beweerden verliefd op me te zijn, maar dat betekende natuurlijk dat ze seks wilden. Het waren rijke blanke mensen die voor ambassades, culturele centra en grote bedrijven werkten. Ze kwamen voor een paar jaar naar Cambodja en spraken zelden een woord Khmer, net zoals ze de lokale gerechten ook niet aten.

Maar op een avond leerde ik Pierre kennen. Ik denk dat het 1991 was. Hij was lang en knap, op een beetje ruige manier. Hij was Frans, een jaar of vijfentwintig, en hij werkte voor een Franse hulporganisatie, waar hij laboratoriumanalyses deed. Ik was eenentwintig en had nog nooit een buitenlander ontmoet die zo goed Khmer sprak.

Pierre vroeg me van alles over mezelf. Dietrich had geprobeerd me aan het lachen te maken en had daarna seks met me gehad, maar Pierre stelde talloze vragen. Hij vroeg waar ik vandaan kwam, hoe het zo was gekomen dat ik prostituee was geworden, waarom ik het deed en of ik eruit wilde. Hij luisterde. En ik, die altijd stil was geweest, begon plotseling te praten.

We spraken van de vroege avond tot één uur 's nachts, en ik geloof dat we die eerste avond niet eens seks gehad hebben.

Pierre respecteerde me, en dat respecteerde ik weer. Een blanke man die Khmer sprak – dat was me wat. Ik hield misschien niet van Pierre, maar ik dacht wel dat ik met deze man zou kunnen samenleven. Hij was eenvoudig, als een Cambodjaan. Hij at rijst en prahocsaus. Hij leefde als een Cambodjaan: hij had een kamer met een paar andere buitenlanders in een groot houten huis, waar de elektriciteit vaak uitviel, met in de keuken een houtskoolvuur en een koudwaterkraan. Pierre was niet rijk, maar van alle mensen die ik ooit had ontmoet, was hij de enige die aandacht voor mij had – niet voor mijn lichaam, maar voor mij.

Ik zei tegen Pierre dat ik uit de prostitutie wilde. Ik wilde schoon zijn, en fatsoenlijk. Ik vond het vreselijk dat ik mijn lichaam aan vreemden moest verkopen. Maar ik kon niets en had heel weinig geld. Hij vroeg of ik een bedrijfje op wilde zetten, en de volgende ochtend gaf hij me honderd dollar. Hij zei dat ik dat moest gebruiken als beginkapitaal, om een bedrijfje van de grond te krijgen. Hij wilde me oprecht helpen en dat raakte me diep.

Ik was nog steeds van slag door ons gesprek van die eerste avond. Door met Pierre te praten waren er een heleboel herinneringen teruggekomen en was ik overspoeld door emoties. Ik had hem verteld over mijn adoptieouders; over dat vader in het dorp Thlok Chhrov had geprobeerd voor me te zorgen, dat hij me had ingeschreven voor school, en over hoe aardig en goed hij was. Toen Pierre me het geld gaf, dacht ik plotseling weer aan hoe arm en vermoeid vader eruit had gezien toen hij mij die dag in de Land Cruiser van Dietrich had zien zitten. Ik besloot iets goeds voor hem te doen.

Ik ging naar de oude Russische Markt in het centrum en kocht een stapel notitieblokken en potloden – spulletjes die je kon gebruiken om een winkeltje te beginnen. Een onderwijzersgezin had schoolspullen nodig. Maar hoe kreeg ik die dingen bij mijn familie? Ik zou al mijn moed bijeen moeten rapen en terug moeten gaan.

In mijn herinnering hadden de mensen in Thlok Chhrov altijd op me neergekeken. Ze hadden een hekel aan me omdat ik een wilde was. Er waren een paar lieve mensen, en die wil ik me herinneren, maar de meeste dorpelingen hadden alleen maar harde klappen en beledigingen over voor het meisje met de donkere huid dat elke ochtend zware emmers met water voor hen haalde en dat voor hen op het land werkte. Ik wist dat deze mensen vast wisten dat ik prostituee was, want als het vader ter ore was gekomen, gold dat vast en zeker ook voor de anderen. Ik wist dat ze op me neer zouden kijken, dat ze misschien zelfs stenen naar me zouden gooien. Ik wilde niet terug.

Maar ik nam een veerboot die naar Kampong Cham ging. Het was niet erg ver – de reis duurde misschien vijf uur – maar ik was de hele tijd op van de zenuwen. Ik zorgde dat ik 's avonds in Thlok Chhrov zou aankomen, als de meeste mensen aan het eten waren, zodat ik niemand zou zien.

Ik was al niet meer terug geweest sinds de bruiloft van Phanna, in 1985, toen ik een verpleegster van vijftien jaar op de rubberplantages van Chup was. Nu, meer dan vijf jaar later, leek het dorp op de een of andere manier kleiner, maar ook rijker. Een aantal huizen had nieuwe luiken voor de ramen. Er stonden zelfs een paar grote nieuwe huizen, gemaakt van stevige houten planken. Er was nog een winkel bij gekomen, naast de winkel van de Chinese koopman, waar ik voor het eerst was verkracht. Toen ik erlangs liep, voelde ik een golf van haat.

De paden van aangestampte aarde door het dorp waren nog steeds hetzelfde, maar het huis van vader was er slecht aan toe. De gevlochten palmbladeren van de muren waren al lange tijd niet vervangen. Toen we klein waren, moesten we altijd nieuwe muren vlechten of stukken van het dak vernieuwen met lange, gedroogde kokospalmbladeren, maar dat was nu al een tijd niet meer gebeurd. Het huis zag er vuil en haveloos uit, en vertoonde zwarte plekken, daar waar insecten en rot gaten in de muren gevreten hadden. Het hing scheef, want de palen waren aan het rotten. Ik voelde een steek van schuldgevoel en medelijden.

Ze waren thuis, de vader en moeder die ik voor mezelf gekozen had, of die mij gekozen hadden. Ze zagen er oud en mager uit, en veel kleiner, als een verschrompelde versie van henzelf. Toen ik binnenkwam, zaten ze te eten uit een kleine kom rijstsoep met een beetje gedroogde vis erin, en ik zag de verbazing op hun gezichten. Maar ze zeiden niet veel. Vader glimlachte en zei: 'Fijn je te zien, dochter.'

Ik gaf hun de grote tas vol schoolspullen die ik met het geld van Pierre had gekocht en legde onhandig uit wat mijn bedoeling was. Moeder glimlachte. Ik zag dat ze erg opgelucht was; het viel niet mee om van een mager onderwijzerssalaris te leven. In tegenstelling tot andere onderwijzers in Cambodja hoefden de leerlingen Mam Khon niet te betalen voor het recht om naar school te mogen of om examens te doen. En doordat hij een eerlijk man was, had hij heel weinig geld.

Moeder besteedde overdreven veel aandacht aan me en excuseerde zich dat ze niet meer eten had. Ze bood aan om naar de koopman te gaan om iets te kopen, maar ik wilde haar niet tot last zijn – ik merkte wel dat ze geen geld had. Ik bood niet aan om zelf naar de winkel te gaan.

Vader had tranen in zijn ogen, en moeder en ik ook. We huilden, maar wisten niet wat we moesten zeggen. Ik kolkte van de herinneringen – pijnlijke en mooie. Ik kon deze lieve mensen niet vertellen wat voor leven ik in Phnom Penh had geleid, dat ik bepoteld, geslagen en verkracht was door een eindeloze opeenvolging van smerige en verachtelijke mannen. Mijn leven was laag en lelijk, en zo voelde ik me ook.

Ze vertelde me het nieuws over Sochenda. Ze woonde in Kampong Cham, de grote stad in de buurt, en werkte daar op een kantoor voor het ministerie van Landbouw.

Toen kwam Phanna binnen. Ze woonde in een huisje naast het huis van mijn ouders – eigenlijk meer een schuur; het stond niet eens op palen. Ze werkte als onderwijzeres in een naburig dorp. Haar man was er niet, maar ik begreep dat hij geen inkomen had. Hij voedde alleen de varkens en hing thuis een beetje rond. Phanna zag er mager uit. Ze was niet zo knap meer; haar mooie mondje zag er vertrokken uit en de vreugde was uit haar ogen verdwenen. Ze leek een stuk ouder.

Toen ik zag hoe arm ze geworden waren, wilde ik niets liever dan mijn familie helpen. Ondanks hun armoede vroeg vader of ik weer bij hen in het dorp wilde komen wonen. Hij zei dat hij wilde dat ik 'veilig' was – meer zei hij niet, maar ik begreep wel wat hij bedoelde en liet uit schaamte mijn hoofd hangen. Maar ik wist dat ik niet terug kon naar Thlok Chhrov. Ik had hier niets meer te zoeken. Het was een akelig dorpje, waar maar heel weinig mensen ooit aardig voor me geweest waren; dat zou veel erger worden voor een voormalig prostituee zonder geld. Ik schudde van nee.

Ik zei tegen vader dat ik een man had ontmoet, een buitenlander, die in Phnom Penh woonde. Ik zei dat hij een goede man was en dat hij me het geld had gegeven om de schoolspullen te kopen. Ik wist dat vader het niet leuk zou vinden, maar ik dacht dat hij het misschien zou begrijpen. Een Khmer-man zou me slaan en misbruiken omdat ik in een bordeel had gezeten. In Cambodja was ik voor altijd bezoedeld. Een buitenlander zou zich waarschijnlijk niet zoveel van mijn verleden aantrekken.

Vader vroeg me nog een keer of ik in het dorp wilde blijven. Hij zei: 'Ik wil niet dat je teruggaat naar de stad. Ik ben bang dat de mensen je kwaad zullen doen. Blijf alsjeblieft hier, thuis.'

Ik dacht dat vader me misschien zou dwingen om te blijven. De volgende ochtend kleedde ik me voor zonsopgang al aan en liep met mijn stadsschoenen aan naar de rivier, waar ik de eerste veerboot terug naar Phnom Penh nam.

7

De Franse ambassade

Toen ik weer in het huis van Guillaume in Phnom Penh was, werd ik opgewacht door een Cambodjaanse man. Hij was de conciërge van het gebouw waar Pierre woonde. Hij zei dat Pierre me overal gezocht had. Later hoorde ik dat Pierre zelfs tegen een vriend had gezegd dat hij de vrouw gevonden had met wie hij ging trouwen, het mooiste meisje dat hij ooit had gezien, en dat hij haar niet zomaar liet gaan. Hij was stapelverliefd op me.

Toen ik naar hem toe ging, vroeg Pierre of ik bij hem wilde komen wonen in zijn kamer in het grote houten huis dat hij in Phnom Penh met een paar andere buitenlanders van de hulporganisaties deelde. Ik wist het niet. Pierre was arm en armoedig – hij was niet de rijke buitenlander die ik in gedachten had. Hij was niet zoals Hendrik, de rijke Amerikaan uit Singapore, die me een keer honderd dollar had gegeven, alleen maar om kleren te kopen. Maar Pierre sprak wel Khmer, en dat vond ik echt belangrijk. Hij was anders dan de andere buitenlanders.

Ik vroeg Guillaume wat hij ervan dacht, en hij raadde me aan iemand anders te zoeken. Hij zei dat niemand van de buitenlanders erg op Pierre gesteld was, dat hij een arrogante schreeuwlelijk was en dat ik nog wat geduld moest hebben. Dat was niet bepaald een aanbeveling. Ik vond het zelf wel leuk dat Pierre zo'n persoonlijkheid was, maar besloot toch Guillaumes raad op te volgen.

Het gebeurde wel eens dat Pierre, als we op het punt stonden om te gaan vrijen, plotseling ophield. Hij zei dat hij me niet wilde dwingen. Maar ik kreeg het beeld van gewelddadigheid niet uit mijn hoofd. Ik wist niet wat ik moest doen om mijn verleden ongedaan te maken. Het leek onmogelijk om weer tot leven te komen, om weer een soort onschuld te bemachtigen. Ik wist niet waar mijn jeugd was, waar ik moest graven om geluk te zoeken, en zo niet geluk, dan toch minstens een bepaalde mate van vrede. Pierre was aardig, maar onze nachten samen waren voor mij toch altijd moeilijk.

Toen ging Pierre de stad uit, met vakantie naar Vietnam, met een paar vrienden. Ik wist dat deze vrienden geen hoge pet van mij op hadden. Ze vonden me een waardeloos stuk vuil dat hij op straat gevonden had. Op een dag, toen Pierre weg was, ontmoette ik een man die ik kende – een neef van mijn adoptiemoeder. Hij was een belangrijke man die op een departement werkte, en hij vroeg wat ik in Phnom Penh deed.

Ik antwoordde dat ik studeerde – ik ging nog steeds naar de Alliance Française, dus het was niet echt een leugen. Mijn oom nodigde me uit om met hem te lunchen, en dat kon ik niet weigeren. Toen we het restaurant uit kwamen, zag ik een vriend van Pierre naar me kijken, dus keek ik terug.

Pierre kwam een paar dagen later terug, en toen ik bij hem thuis kwam, lagen mijn spullen op een hoop op de grond. Hij zette me de deur uit. Hij zei dat ik altijd een hoer zou zijn, dat ik tegen hem had gelogen, dat ik helemaal niet wilde ophouden mijn lichaam te verkopen. Hij beschuldigde me ervan dat ik tijdens zijn afwezigheid weer klanten had gehad.

Het was niet waar. Sinds ik Pierre had leren kennen, had ik niet meer met een andere man geslapen. Op dat moment had ik nog niet besloten of ik bij hem zou blijven, maar ik wilde hem laten zien dat ik hem respecteerde, aangezien hij ook respect voor mij toonde.

Als je een hoer bent, denken mensen altijd dat je oneerlijk bent. Ze gaan ervan uit dat je een leugenaar en een dief bent, en dat heb ik altijd vreselijk gevonden. Ik zou weggegaan zijn als Pierre genoeg van me had – dat zou ik geaccepteerd hebben. Maar ik vond het vreselijk dat hij net zo over mij dacht als alle andere mensen, namelijk dat ik een hoer, een dief, een leugenaar, een echte Phnong-wilde was. Ik wilde dat hij zag wat voor persoon ik probeerde te worden: eerlijk en oprecht.

Ik huilde. Ik weigerde weg te gaan. Ik zei tegen Pierre dat ik geen ander motief had om bij hem te blijven. Ik zei dat ik niet met hem sliep voor het geld; er waren genoeg mannen in Guillaumes huis die veel rijker waren. En ik had er niet voor gekozen om prostituee te worden. Er zat helemaal niets vrijwilligs aan wat ik had gedaan. Hij mocht me er niet van beschuldigen dat ik met mannen naar bed ging als dat niet het geval was. Ik vroeg of hij me de kans wilde geven om te bewijzen dat ik geen leugenaar was.

Terwijl ik dat allemaaal tegen Pierre zei, realiseerde ik me hoe graag ik dit wilde. Ik wilde niets liever dan de wereld van de prostitutie achter me laten. Pierre was sjofel, deed soms vreemd en werd vaak boos, maar hij was anders dan alle anderen. Hij sprak mijn taal, en ik dacht dat hij me begreep.

Ik beloofde mezelf plechtig dat ik, als Pierre me terugnam, bij hem zou blijven en zou bewijzen dat ik meer was dan zomaar een prostituee.

We gingen samenwonen. Ik hield niet van Pierre. Ik denk wel eens dat ik niet eens weet wat 'houden van' betekent. Maar omdat Pierre Khmer sprak, had ik het gevoel dat we een echt stel waren – niet zoals met Dietrich, vreemden die naar elkaar knikten en seks met elkaar hadden als de man dat wilde. Ik ging niet meer naar de Alliance Française. We hadden niet veel geld, en Pierre leerde me zelf een beetje Frans.

In 1991 liep Pierres contract met de hulporganisatie af. Hij wilde terug naar Frankrijk. Ik zei dat ik, als hij wegging, niet met hem mee naar Europa zou gaan, maar dat ik bij hem zou blijven, als hij nog een tijdje in Cambodja wilde blijven. Hij zei dat hij bleef; hij ging alleen twee weken terug naar Frankrijk voor zaken, maar dan kwam hij terug.

Pierre liet twintig dollar voor me achter; daar moest ik het mee uitzingen. Dat was prima; het was genoeg om eten van te kopen. Ik was veel bij de buren: een Cambodjaans gezin met twee schatten van kinderen. Ik vond het niet fijn om alleen in het appartement te slapen, dus 's avonds kwamen de kinderen altijd naar me toe.

Maar Pierre kwam niet terug. Hij bleef drie weken weg, en toen vier. Eindelijk belde hij: hij was ziek geweest, malaria, maar zou de volgende dag het vliegtuig nemen. Toen ik naar het vliegveld ging om hem op te halen, was ik vergeten hoe hij eruitzag en begroette ik de verkeerde man. Ik liep naar zijn vriend Patrice – ze lijken inderdaad erg op elkaar, maar ik had Pierre ook nog nooit recht aangekeken. Het duurde heel lang voordat hij me die gewoonte had afgeleerd.

Pierre zei dat hij geen ander contract had om in Cambodja te werken. Hij kondigde aan dat hij in plaats daarvan een eigen bedrijf ging beginnen. Hij was van plan om een bar te openen met uitzicht op de rivier in het centrum van Phnom Penh. Daar gingen alle nieuwe buitenlanders altijd naartoe; het wemelde in Phnom Penh plotseling van de blanken van de VN, die hierheen waren gekomen om het land voor te bereiden op verkiezingen voor een nieuwe regering. Pierre zei dat er snel vredestroepen uit de hele wereld zouden komen, net als in Afrika en Europa. Hij zei dat je er vergif op kon innemen dat die mensen dorst zouden hebben.

We trokken in bij een vriend van Pierre om een beetje geld te sparen. Ondertussen ging hij op zoek naar de juiste locatie.

Na een paar maanden vond hij een appartement op de eerste twee verdiepingen van een gebouw met uitzicht over de rivier. Pierre wilde er een cafeetje van maken waar je kon ontbijten, met lekkere koffie, maar waar je 's avonds een biertje kon drinken en wat kon eten. Hij richtte het in met palmbladeren, als een dorpshuis, en zette overal bloemen neer. Hij noemde het 'L'Ineptie', ofwel 'Onzin'. Het ging in 1992 open.

Pierre nam een Italiaanse vriend in dienst om broodjes en fondues te maken, en vier obers. Hij werkte zelf ook in de bediening, net als ik – soms wel tot twee uur 's nachts. Ik zei tegen Pierre dat ik niet voor niks wilde werken, en hij zei dat hij me twintig dollar per maand wilde betalen. Toen ik kenbaar maakte dat ik dat niet erg veel vond, zei hij dat ik gratis kost en inwoning had.

Pierre investeerde al zijn geld – een paar duizend dollar – om de zaak tot een succes te maken. Aan het eind van de eerste maand kreeg ik mijn geld. Het was goed, eerlijk geld. Ik ging naar de markt en gaf het hele bedrag uit aan een prachtige paarse jurk met een witkanten kraag en een jasje. Ik vond dat hij me beeldschoon stond! De Chinese man die me de jurk voor de dubbele prijs aan me verkocht, had zijn geld snel verdiend, maar ik wilde niet afdingen. Op dit stukje geluk mocht niet afgedongen worden. Toen ik die avond na mijn werk naar het appartement ging, trok ik mijn jurk weer aan. Ik heb die jurk nooit aan iemand laten zien, want daar was ik te verlegen voor. Hij was alleen voor mij – een magische jurk waardoor alles veranderde.

Op een dag belde Pierre zijn moeder om te zeggen dat het uit was met zijn Franse vriendinnetje en dat hij nu met mij samenwoonde. Ze vond het verschrikkelijk dat hij met een Cambodjaanse samenleefde. Ik was teleurgesteld; ik had me niet gerealiseerd dat Fransen racistisch kunnen zijn, net als de Khmer. Maar Pierre zei tegen haar: 'Het kan me niet schelen wat je ervan vindt.' Ik schrok ervan dat hij zo tegen haar sprak. Hoe kon hij nu 'het kan me niet schelen' tegen zijn eigen moeder zeggen? In Cambodja hield je je mond tegen je ouders en toonde je te allen tijde respect, hoe oud je ook was.

Pierres vriend Théo had een videocamera, en hij stelde voor om ter kennismaking voor Pierres moeder een video te maken. Pierre filmde me, maar ik was verlamd van verlegenheid. Ik deed mijn mond niet open en durf te betwijfelen of zijn moeder me leuk gevonden zal hebben nadat ze hem had bekeken.

In die tijd verbaasde ik me er voortdurend over dat de Fransen zo veel praatten. Cambodjanen zijn een zwijgzaam volk. We hebben met harde hand geleerd dat we onze mond moeten houden. De Fransen spraken daarentegen uren achtereen als ze in L'Ineptie waren. Ik heb nog nooit mensen zo veel zien praten. Van het luisteren alleen werd ik al doodmoe.

In november 1991 keerde de prins terug naar Cambodja. Hij reed op de achterbank van een roze Chevrolet met open dak door Phnom Penh, en de kinderen op straat zwaaiden naar hem. De terugkeer van de prins uit ballingschap maakte deel uit van het vredesakkoord dat de Verenigde Naties voor Cambodja in elkaar hadden geflanst. De Vietnamezen stemden ermee in zich uit het land terug te trekken, prins Sihanouk keerde terug, de Verenigde Naties zouden toezicht houden op de regering en verkiezingen organiseren en de guerrillastrijders – de Rode Khmer en alle andere militaire eenheden – spraken af dat ze alles op alles zouden zetten om die verkiezingen te winnen.

De meeste Cambodjanen die ik kende waren bepaald niet over deze ontwikkelingen te spreken. We hebben geleerd dat we op onze hoede moeten zijn; als er in hoge regionen veranderingen plaatsvinden, pakt dat voor de lage regionen vaak niet best uit. Toen Khieu Samphan, een leider van de Rode Khmer, eind 1991 terugkeerde naar Phnom Penh om een officieel kantoor voor de Rode Khmer te openen, werd hij door een menigte aangevallen en werd zijn kantoor vernield. Hij moest door soldaten met een tank ontzet worden. De meeste mensen waren bang dat dit nog maar het begin was van de onlusten die de nieuwe verkiezingsprocedure met zich mee zou brengen. Niemand geloofde dat de soldaten hun wapens zouden inleveren en het land tot een parlementaire democratie zouden laten overgaan.

In 1992 arriveerden er tweeëntwintigduizend buitenlanders met de UNTAC, de vredesmissie van de VN. Bijna iedereen was blij met deze reusachtige instroom van *barangs* – zoals de Cambodjanen alle blanken noemen – met hun onuitputtelijke hoeveelheid geld. Elke maand gingen er wel nieuwe restaurants en bars in Phnom Penh open om in de niet-aflatende behoeften van de buitenlanders te voorzien. Het waren veelal prostitutiebars – gelegenheden die net wat beter waren dan bordelen – waar de vredestroepen meisjes konden kiezen. Die branche tierde welig, maar in L'Ineptie werd niet aan prostitutie gedaan.

Als er een buitenlander met een heel jong meisje kwam – wat dikwijls gebeurde – ging Pierre tegen hem tekeer en zette hem de deur uit. Ik weet nog dat hij een keer heel boos werd toen er een grote Duitser binnenkwam met een meisje van twaalf, dertien jaar. Ik dacht dat het op een vechtpartij zou uitlopen. Misschien was dat de reden waarom de zaken niet zo goed gingen. Het zat vaak vol, maar dan meestal overdag, als de mensen alleen kwamen praten.

Ik vond Pierre geweldig. Ik bewonderde hem, en als ik ooit al een toekomstideaal had, dan was dat dat ik bij hem zou blijven. Hij was een manier om aan mijn oude leven te ontsnappen, om nieuwe manieren te leren om in de wereld te overleven en om mijn ouders te kunnen helpen. Ik probeerde ook van hem te houden, en misschien was dat wel gelukt als hij wat vriendelijker was geweest. Maar Pierre was ruw, hij schreeuwde tegen me, hij was niet lief – het was geen romantisch sprookje.

Ik verstond inmiddels genoeg Frans om met de klanten te kunnen omgaan. Vaak kwamen de buitenlanders binnen met Khmer, die voor hen werkten bij de verschillende niet-gouvernementele organisaties, de bureaus van de VN en de vredesmachten. In mijn ogen hadden deze Khmer een goed leven: ze droegen mooie kleren en genoten respect. Het leek me fijn als ik zo goed Frans zou kunnen leren dat ik op een dag ook zulk werk kon doen.

Ik stuurde mijn ouders regelmatig geld. Het was geen geld dat ik van Pierre kreeg; ik had het zelf verdiend met schoonmaken. Ik ben nog één keer terug geweest naar Thlok Chhrov. Mijn oude vriendin Chettra bracht me er achter op haar motor heen. Toen we er aankwamen, vroeg in de avond, stond vader in korte broek nog de rijstkorreltjes uit een berg rijststengels te slaan, hoewel het al snel donker werd. Uit Phanna's hutje hoorde ik mijn zus huilen van de pijn en haar zoontje brullen. Ik ging er naar binnen. Haar man sloeg haar.

Ik zei dat hij moest ophouden. 'Probeer mij niet de les te lezen, hoer,' zei hij. Ik pakte het hakmes uit de keuken en maakte een gebaar alsof ik zijn hoofd doormidden wilde hakken, en toen ging hij ervandoor.

Vader greep waarschijnlijk wel eens in als Phanna werd geslagen. Ik weet zeker dat hij het vreselijk gevonden moet hebben dat hij zo'n slechte echtgenoot voor haar had gekozen. Maar daardoor veranderde er nog niks.

Ik zei tegen Phanna dat ik vond dat ze moest scheiden, maar dat wilde ze niet. Ik heb geen idee of ze dan de eerste vrouw in Thlok Chhrov zou zijn geweest die om een scheiding had gevraagd, maar in haar optiek was het ondenkbaar. Ik gaf ze geld en ging met bezwaard hart terug naar Phnom Penh. Een paar maanden later hoorde ik dat ze weer zwanger was, van haar tweede kind.

Een tijdje later nam Pierre een nieuwe ober in dienst – een man die ik niet mocht. Hij keek op me neer omdat ik een Phnong was, ook al wist hij dat ik de vriendin van de baas was. Een keer toen we ruzie hadden, noemde deze ober me 'khmao', en toen ben ik naar Pierre gegaan. Ik zei dat hij voor me moest opkomen, maar Pierre zei: 'Het is niet mijn probleem. Regel het zelf maar.' Ik werd boos, en toen sloeg hij me, ter plekke, waar de ober bij was. Dat was een enorme teleurstelling voor me. Ik had het gevoel dat ik Pierre nooit meer echt kon vertrouwen. Barang of niet, alle mannen waren hetzelfde.

Het was voor mij normaal om zeven dagen per week te werken, maar Pierre vond het vreselijk vermoeiend om L'Ineptie draaiende te houden. Hij moest er even tussenuit. Hij nam me een keer mee naar Kep, aan de kust, in de buurt van de plaats waar zijn vriend Jean-Marc werkte. Daar spraken ze af, ze praatten en dronken de hele avond en de volgende ochtend sliepen we tot twaalf uur uit, zoals Fransen gewend zijn. Toen zijn we met nog meer vrienden met een boot naar Koh Tonsay (Konijneneiland) gevaren, vlak voor de kust. We sliepen allemaal in het huis van een oude vrouw op het eiland. Het was prachtig: de volle maan boven het water, net zoals op de oevers van de Mekong in Thlok Chhrov, met de gevlochten krabbennetten die op het zeeoppervlak dreven.

De zee zelf vond ik maar vreemd, en ik ging er met al mijn kleren aan in, zoals een Cambodjaanse vrouw doet. Ik kon niet eens naar de andere vrouwen in ons gezelschap kijken, die een bikini droegen. Het water prikte op mijn huid – het leek helemaal niet op rivierwater – en het smaakte zout. Ik vroeg me af of mensen zout in het water deden. Misschien omdat ze er dan gemakkelijker mee konden koken?

Een andere keer zei Pierre dat het tijd was voor een echte vakantie. Een vriend van hem zou voor L'Ineptie zorgen en hij zei dat we naar Siem Reap gingen om een bezoek te brengen aan de duizend jaar oude tempels van Angkor. Daar wist ik niets over; ik wist alleen dat het silhouet van de Angkor Wat-tempel op onze geldbiljetten gedrukt stond.

We namen een boot vanaf Phnom Penh en voeren stroom-opwaarts om het grote meer over te steken, waar de vissers in verplaatsbare, drijvende dorpen op het water woonden. De reis duurde de hele nacht. In Siem Reap logeerden we in een huis dat gehuurd was door een vriend van Pierre, die voor een NGO werkte. De Cambodjanen van wie het huis was waren heel aardig tegen me. Ze beschouwden me niet als een van straat geraapt stuk vuil; ze beschouwden me als de vriendin van een blanke man, als iemand die met respect bejegend diende te worden.

Angkor Wat was adembenemend. De ruïnes waren prach-tig, maar wat me nog het meest aangreep was de manier waar-op ze door een dicht woud omarmd en omgeven werden. Ik was het bos, de enorme bomen en bladeren uit mijn jeugd in de heuvels van Mondulkiri helemaal vergeten. Hier had je reusachtige paleizen en verhoogde looppaden waar nog veel grotere bomen recht uit omhoog groeiden, breed en knoestig, met takken tot zover het oog reikte, die met hun wortels een torenhoge omlijsting om de bewerkte stenen muren maakten. Ik kreeg plotseling een gevoel van herkenning, dat zo sterk was dat het me bijna te veel werd. We konden niet zomaar overal lopen, vanwege de landmijnen, maar ik merkte wel dat het bos diep en sterk was, overal om ons heen.

We zijn ongeveer twee weken gebleven om de tempels te

bezoeken. Pierre leek er alles over te weten en vertelde me welke koning welke tempel had gebouwd. Het verbaasde me dat ik, een Cambodjaanse, er niks over wist en dat hij, een buitenlander, zo goed op de hoogte was. Ik vroeg of hij in een vorig leven soms in Cambodja had gewoond. Pierre zei dat hij boeken over de geschiedenis van Cambodja had gelezen en dat ik die, als ik genoeg Frans had geleerd, ook kon lezen. Ik wist dat hij maar een grapje maakte en dat ik zulk soort Frans toch nooit zou leren lezen.

In Cambodja is het de gewoonste zaak van de wereld dat drie mensen op een motor rijden, en Pierre huurde een man in om ons rond te rijden. Soms moesten we afstappen en de motor over de wegen met diepe voren duwen. We kwamen tot in Banteay Srei, een kleine tempel van rood steen, die op ruim vijftien kilometer in het bos lag. Toen we over de bospaden terugreden, werd ik overspoeld door verre herinneringen en vergeten gewaarwordingen. Ik vroeg Pierre of we even konden stoppen. Hij werd al snel rusteloos, maar ik had daar wel voor altijd willen blijven om me te herinneren hoe de bosgeluiden, de luidruchtige roep van de vogels klonken, en om de koele, diepe geuren op te snuiven.

Pierre besloot dat we per vliegtuig terug naar Phnom Penh moesten reizen. Ik had nog nooit eerder in een vliegtuig gezeten, en ik vertrouwde het niet: ik heb nooit echt kunnen begrijpen hoe een vliegtuig werkt. Ik lag er de hele nacht over te piekeren, verteerd door angsten. Toen we eenmaal bij het vliegveld aankwamen, was ik in alle staten en toen ik het vliegtuig van dichtbij zag, vond ik dat het er als een metalen vogel uitzag – een blikje, een soort grap. Pierre moest me op mijn stoel omlaag drukken en mijn gordel vastmaken, waardoor ik me nog meer opgesloten voelde. Het was net zoals wanneer ik in het bordeel vastgebonden werd. Tijdens het opstijgen en landen was ik volslagen in paniek. Toen we aankwamen, zag ik groen van misselijkheid en kon ik bijna niet op mijn benen staan. Ik vroeg me af of je het verleden ooit echt achter je zou kunnen laten, of dat je altijd achtervolgd zult worden door wat jou is aangedaan en door wat jij zelf gedaan hebt.

Omstreeks februari 1993, toen L'Ineptie ongeveer een jaar draaide, vertelde Pierre me dat hij er niet genoeg geld mee verdiende. Hij noch ik had ooit een bedrijf gerund, en ik denk dat we er gewoon niet zo goed in waren. En Pierre dacht dat er onlusten zouden komen. De Verenigde Naties hadden geregeld dat er in mei verkiezingen zouden worden gehouden, en Pierre zei dat niemand wist wat er dan zou gebeuren, of de regering de macht ooit zou overdragen en wat voor geweld, of zelfs oorlog, er dan zou uitbreken. Pierre zei dat het hoog tijd werd dat we naar Frankrijk gingen.

Ik vond dat ik niet aan deze enorme nieuwe verandering toe was, maar tegelijkertijd wilde ik ook alle dingen zien waar Pierre me over had verteld. Hij zei dat de wereld veel groter was dan ik ooit had gedacht. Ik kon al een beetje eenvoudig Frans spreken, dus ik dacht dat het wel mee zou vallen en dat ik, als ik een tijdje in Frankrijk had gewoond, terug kon komen en als tolk of iets dergelijks kon gaan werken. Veel Cambodjanen maakten zich zorgen om de politieke situatie en hadden de kans om weg te gaan met beide handen aangegrepen. Ik kon een paspoort en visum krijgen – maar alleen als Pierre en ik getrouwd waren.

En dus besloten we de sprong te wagen – als onderdeel van de visumprocedure. Ik wilde helemaal niet trouwen. Ik hou niet eens van de bruiloftsmuziek van de Khmer. Ik beschouwde het huwelijk als een keten, een gevangenis. In Cambodja ben je, zodra je getrouwd bent, eigendom van je man.

Nadat Pierre L'Ineptie had verkocht, ging hij naar het Fran-

se consulaat om alle formulieren te halen die we moesten in-
vullen om te trouwen en visa te krijgen. Ze vroegen allemaal
wat mijn geboortedatum was, maar die wist ik natuurlijk niet.
Ik zei tegen Pierre dat het ergens in 1970 geweest moest zijn,
en hij vulde '1 april' in, omdat dat volgens hem een soort grap
was. Daar werd ik kwaad om, dus streepte ik 1 april door er
schreef '2 april', louter om hem te pesten. Met de huwelijksda-
tum idem dito: Pierre schreef '8 mei', wat een Franse feestdag
is, maar ook de datum van Pierres eerste, kortstondige huwelijk met een Française. Dat ergerde me, dus zette ik er een
streep door en schreef '10 mei'.

Ik schreef op dat ik Somaly Mam heette. Dat was de meest
ware naam van allemaal – 'verdwaald in het bos' – en bovendien noemde Pierre me altijd Somaly. Het was al jaren geleden dat iemand me Aya had genoemd, of gewoon khmao. Ik
noemde mezelf bij de naam die mijn adoptievader me had gegeven: zijn naam, die ik met trots draag.

We gingen naar de Franse ambassade om in het huwelijk te
treden. In die tijd zat de Franse ambassade in een oud koloni-
aal gebouw met een rood dak en broodvruchtbomen eromheen. Ik vond het indrukwekkend om erheen te gaan, maar
trouwen was in mijn ogen gewoon onderdeel van de visumprocedure. Ik kleedde me niet mooi aan en nodigde ook niemand uit. Op de ambassade beantwoordde ik vragen en zei
wat ik van Pierre moest zeggen, en toen zetten we onze hand-
tekening. Pierre handelde het grootste deel af.

Na afloop wilde Pierres vriend Thierry het met ons vieren.
We gingen met wat vrienden eten in een Indiaas restaurant,
en daarna gingen we naar een nachtclub waar voornamelijk
Afrikaanse muziek werd gedraaid, voor de Kameroense vre-
dessoldaten. Ik weet nog hoe verbaasd iedereen was toen de
eerste vredesmacht uit Kameroen arriveerde, met een huid
die zo donker was dat het wel geesten leken. Pierre vond de

muziek mooi. Hij praatte de hele avond met zijn vrienden.

Een paar dagen later zouden we uit Cambodja vertrekken. Ik nam Pierre mee naar Thlok Chhrov om mijn ouders te ontmoeten en met hen te praten. In die tijd kon je gewoon op klaarlichte dag in het dorp verschijnen. Nu ik met geld en een blanke man naar het dorp terugkeerde, was alles anders. Nu leek iedereen zich te herinneren dat we vroeger zo goed bevriend waren geweest en dat ze me altijd zo'n lief kind hadden gevonden.

Vader was niet blij dat ik uit Cambodja wegging, zoals ik wel voorvoeld had, en ik geloof ook niet dat hij het erg leuk vond om Pierre te ontmoeten. Hij knikte alleen maar en zei bijna niets. Ik vertelde dat ik terug zou komen. Mijn moeder zei tegen Pierre dat hij me niet mocht slaan, dat hij van me moest houden en goed voor me moest zorgen. Ze vroeg wat voor leven ik daar ver weg in Frankrijk zou gaan leiden. Pierre zei: 'Wees maar niet bang, uw dochter kan prima voor zichzelf zorgen.' Toen we weggingen, huilden mijn ouders allebei.

Zes dagen later vertrokken we naar Frankrijk. Ik had geen idee wat me te wachten stond. Een paar dagen voor ons vertrek kregen Pierre en ik ruzie. Toen we vertrokken, ziedde ik nog steeds van woede. Ik pakte mijn koffer en stopte er een scherp mes in. Als Pierre me zodra we in Frankrijk zijn probeert te verkopen, hield ik mezelf voor, vermoord ik hem. Je weet maar nooit.

8

Frankrijk

In het vliegtuig deed ik mijn uiterste best om kalm te blijven. Ik ben trots en wilde Pierre niet laten merken hoe bang ik was. Bij aankomst in Maleisië kwamen we tot de ontdekking dat onze tweede vlucht, naar Parijs, vertraging had. De luchtvaartmaatschappij zei dat ze een hotel voor ons zouden regelen.

Om Kuala Lumpur Airport te verlaten moest je met een roltrap, en dat weigerde ik pertinent. Ik op die rollende metalen slang? Vergeet het maar. Pierre was kwaad; hij moest me er echt op trekken. Op straat zag ik gebouwen die hoger waren dan de hoogste bomen in het bos. Pierre zei dat het wolkenkrabbers waren, en ik dacht dat hij dat letterlijk bedoelde. Ik was stomverbaasd, over alles – het was ook allemaal zo modern.

Onze hotelkamer was op de achtentwintigste verdieping en om daar te komen moesten we de lift nemen. Toen de deuren dichtgingen, had ik het gevoel dat ik me in een doodskist bevond, opgesloten en paniekerig. Vanuit onze hotelkamer zagen de mensen beneden op straat er piepklein uit, net insecten. Ik was doodsbang. Pierre ging de badkamer in en liet het bad vollopen, met schuim. Hij zei dat ik het vast lekker vond, dat ik erin moest stappen, maar ik wilde niet. Ik was nog nooit eerder in bad geweest en had me ook nog nooit met warm water gewassen, en dat schuim vond ik maar eng.

Toen kwam het volgende vliegtuig. Ik deed nu al wat meer blasé over de vlucht, hoewel die langer duurde en we in Dubai een tussenstop maakten. Op het vliegveld van Dubai zag ik hoe moslims leven: niet de Cham, zoals grootvader, maar de echte, van wie de vrouwen helemaal met zwarte gewaden bedekt zijn, als spoken, opgesloten in hun eigen kleren, heel beklemmend en warm in zo'n snikheet land. Ik had medelijden met hen.

Toen we in Frankrijk aankwamen, gingen we linea recta naar het huis van de tante van Pierre, Jeanine, in een voorstad van Parijs. Toen we buiten door het frisse meiweer liepen, dacht ik dat ze op de een of andere manier buiten airconditioning hadden. Tante Jeanine had, om mij een plezier te doen, besloten rijst te koken. In Cambodja koken we rijst een uur of nog langer op kolen, waarop hij langzaam gaar suddert. Toen ik haar plastic zakjes in kokend water zag gooien, dacht ik dat ze gek was, en al helemaal toen ze die er een paar minuten later weer uithaalde en er boter bij deed. De rijst zag er verschrikkelijk uit, half gekookt en half rauw: opgezwollen en veel dikker dan onze rijst, die nootachtig smaakt en geurig is. Uit respect voor de rijstplantjes heb ik alles opgegeten. De ham vond ik wel lekker, en het brood – het brood was verrukkelijk.

Toen ging Pierre een paar dagen weg. Hij zei dat hij een paar vrienden moest opzoeken, en weg was hij. Jeanine was overdag niet thuis en ik wist niet wat ik moest doen. Ik was te onzeker over die paar woordjes Frans die ik sprak om de deur uit te gaan en ik was bang dat ik zou verdwalen. Ik dacht dat mijn vriendinnen misschien toch gelijk hadden gehad en dat Pierre van plan was me te verkopen. Ik hield mezelf voor dat ik sterk moest zijn; ik moest Pierre laten zien wat voor vlees hij in de kuip had.

Toen Pierre eindelijk terugkwam, zei hij dat we Parijs maar

eens moesten gaan bekijken. We zaten in een voorstad ver van het centrum en moesten eerst met de trein en daarna met de metro. Dat was allemaal nieuw voor me, onbegrijpelijk en verontrustend. In Cambodja rijden de treinen op loopsnelheid. Deze trein racete met een duizelingwekkende snelheid voort over twee smalle rails en het zag eruit alsof hij er elk moment vanaf kon glijden. De metro was onder de grond en stormde bliksemsnel door de donkere aarde.

Ik had gehoord dat Parijs de mooiste stad ter wereld was, maar dat vond ik niet. Er was bijna geen groen en ik vond de stad verstikkend en doods, met al die gebouwen zo dicht op elkaar. Er was nergens een beetje ruimte. Zelfs de beroemde Eiffeltoren deed me niks – ik vond het een berg oud ijzer, niks vergeleken met de pracht en praal van Angkor Wat. Het raarste vond ik nog wel hoe de mensen met hun honden omgingen. Er waren honden in restaurants en woonhuizen. Cambodjaanse honden leven buiten; in onze ogen zijn het smerige beesten.

Ik zag ook dat mensen geld uit een soort grote doos in de muur haalden. Aha, dus zo doen ze dat, zei ik bij mezelf. Als mensen geld nodig hebben halen ze het gewoon uit de doos – wat een goed idee. Ik vouwde een stukje papier op en stak het in de gleuf. Er gebeurde niets. Pierre lachte en vertelde me over bankpasjes en het hele systeem, dat ik tot op de dag van vandaag maar vreemd blijf vinden.

We gingen winkels in en zagen ontzettend veel puntige schoenen. Mijn Cambodjaanse kleren zagen er vergeleken met het aanbod maar troosteloos uit.

We werden uitgenodigd om bij de oom van Pierre, Jean, te komen eten. Pierre had me gewaarschuwd dat dit een nogal conservatief gezin was. Jean kwam me in een mooie auto ophalen – Pierre was ergens anders – en deed zijn autogordel om. Hij gebaarde dat ik dat ook moest doen, maar ik schudde mijn hoofd als teken dat ik het niet begreep. Toen hij het me liet zien, trok ik aan de gordel, maar hij moest hem voor me vastmaken. Toen we bij zijn huis aankwamen, stapte Jean uit en deed zijn portier dicht. Ik zat nog in de auto en had geen idee hoe ik die gordel moest losmaken. Hij gebaarde hoe het moest, maar ik begreep het niet, dus moest hij hem voor me losmaken.

Ik had het gevoel dat ik niet alleen voor een examen gezakt was, maar dat ik niet eens wist wat voor examen het was. Het eten dat we kregen was een groot raadsel voor me. Sommige dingen vond ik gewoonweg weerzinwekkend. Bij de vis in roomsaus moest ik mezelf echt dwingen hem door te slikken. Ik vond de kazen vreselijk stinken. De Fransen eten overal enorme hoeveelheden van, vooral van vlees. Ik kon bijna niet geloven dat ze elke dag zo veel naar binnen werkten.

Het was me allemaal te veel: de opeenvolging van gerechten, de overdaad aan eten en het feit dat ze eten op hun bord lieten liggen. Ze sneden het vet eraf en lieten dat liggen; ze lieten vlees aan de botjes zitten en kloven het niet eens af; en daarna gooiden ze alles vrolijk weg, samen met het dikke vel van de vis. In Cambodja hadden we met die restjes alleen al hele gezinnen kunnen voeden. In Thlok Chhrov aten we maar één of twee keer per jaar vlees, op speciale feestdagen. Dan kocht mijn moeder een half pond varkensvlees voor twintig personen en hakte ze het heel fijn, als een soort smaakmaker. We waren dankbaar voor elke rijstkorrel die we kregen.

De maaltijd duurde heel lang. Om één of twee uur 's nachts zat iedereen nog steeds te praten. Pierre vertaalde niets voor me. Ik begreep er niets van, had last van een jetlag en had honger, omdat ik de gerechten niet kon eten. Iedereen glimlachte naar me, maar er was geen enkel contact. Ik was Pierres kleine buitenlandse wilde, die aan het eind van de tafel zat en geen woord sprak.

We gingen naar Nice, naar Pierres moeder. Ze had een luid-
ruchtig hondje, Tatou, dat voortdurend blafte en van een
bord bij de tafel at, wat ik echt weerzinwekkend vond. Het
plan was dat wij een tijdje bij Pierres moeder zouden gaan
wonen, totdat Pierre werk had gevonden, maar ik merkte wel
dat ze me niet moest. In haar ogen was ik een op geld beluste
buitenlandse die haar zoon had verleid, en ik probeerde bij
haar uit de buurt te blijven. Pierre was het merendeel van de
tijd weg, en ik zat maar in onze kamer, zonder iemand met
wie ik kon praten en zonder dat ik iets te doen had.

Ik moest hoognodig Franse les volgen, maar we hadden
niet veel geld. Ik had uit Cambodja een woordenboek Frans-
Khmer meegenomen en vroeg Pierre of hij een kinderboek
voor me wist dat ik kon lezen. Pierre zei dat me dat nooit zou
lukken, maar hij kocht een exemplaar van *Le Lion* van Joseph
Kessel voor me. Hij had gelijk: het was veel te moeilijk voor
me. Maar ik hield mezelf voor dat ik het toch moest doen, en
elke avond schreef ik de woorden op die ik moest leren.

Pierre ging naar Parijs om werk te zoeken, en ik bleef in
Nice bij zijn moeder. Op een dag vond ik een exemplaar van
de regionale krant, de *Nice-Matin*. Toen ik die doorbladerde,
kwam ik bij de advertenties. Ik zag het woord *emploi* en zocht
het op in het woordenboek – het betekende 'banen'. Ik vertaalde een paar advertenties met behulp van mijn woordenboek en begreep dat mensen op zoek waren naar schoonmaaksters en werksters. Ik realiseerde me dat ik zelfs met mijn
kleine beetje Frans wel werk zou kunnen vinden.

Ik vroeg aan mijn schoonmoeder hoe ik een baan moest
zoeken, en ze bracht me naar een uitzendbureau en zette me
daar af. Ze was niet van plan me te helpen, dus ging ik alleen
naar binnen. Daar zaten allerlei soorten buitenlanders. Ik legde de manager uit dat ik werk zocht. Ik zei met luide stem: '*Je
veux travailler*,' en hij begreep de boodschap. Hij glimlachte

breed en zei dat ik de volgende ochtend kon beginnen. Ik zou schoonmaakster worden in Hôtel Hibiscus aan de Promenade des Anglais.

Toen Pierre die avond uit Parijs belde, vertelde ik dat ik werk had gevonden. Hij geloofde zijn oren niet: dat ik nog eerder een baan had dan hij, terwijl ik niet eens behoorlijk Frans sprak. Ik was dolblij met het salaris. Met 2500 francs per maand dacht ik wel een begin te kunnen maken met geld naar mijn ouders sturen.

De volgende ochtend bracht mijn schoonmoeder me met de auto naar het hotel, en ik lette goed op via welke route we het centrum in gingen. Toen ik aankwam, werd ik door ene madame Josiane opgevangen, die mij tien kamers toewees die ik moest schoonmaken. Ze liet me niet zien hoe ik het moest doen, en ik had geen idee hoe je een bed hoorde op te maken. Ik wist ook niet hoe een stofzuiger werkte. Het was net een lange slang en hij brulde tegen me; ik was altijd bang dat hij mijn voeten zou opzuigen of tegen mijn lichaam zou opklimmen. Ik moest enorm mijn best doen om mijn angst te bedwingen. Van alle verschillende schoonmaakproducten begreep ik ook helemaal niets.

Die eerste dag probéérde ik de stofzuiger niet eens te gebruiken en maakte ik het bed helemaal verkeerd op. Toen madame Josine terugkwam, zei ze: 'Olala!' Ze lachte en liet me met behulp van gebarentaal zien hoe het wel moest. Tegen het eind van de dag merkte ik dat ze tevreden was over mijn werk. Ik maakte ook achter en onder de meubels schoon, zonder dat mij dat gezegd was, en ik nam geen lunchpauze zoals de andere schoonmaaksters. Ik stopte niet eens om even wat te drinken. En ik vond het niet erg om in het weekend te werken.

Aan het eind van de maand kreeg ik mijn eerste looncheque. Ik was pas twee maanden in Frankrijk en had al 2500 francs verdiend – een enorm bedrag. In Cambodja zou dat een fortuin zijn – misschien wel een jaarinkomen. Maar wat moest ik met dat papiertje? Pierre legde uit dat hij een gezamenlijke bankrekening voor ons zou openen en dat ik het geld daarop moest storten. Daar werd ik zenuwachtig van. En als we nu eens gingen scheiden? Dan kon Pierre al mijn geld er afhalen. Ik zei dat ik een eigen rekening wilde, op mijn eigen naam, en hij zei: 'Je bent een echte Chinese vrouw.'

Ik ben niet gewend om mannen te vertrouwen, en Pierre heb ik ook nooit echt vertrouwd. We waren nog maar net in Nice toen hij bij zijn ex-vrouw op bezoek ging en pas om vijf uur 's ochtends terugkwam.

Soms kreeg ik een fooi van de hotelgasten. Ik herinner me een bejaarde vrouw: toen ik haar had geholpen haar kleren op te bergen, nam ze mijn gezicht in haar handen en zei: 'Mignonne.' Ik kende het woord niet en vroeg of ze het voor me wilde opschrijven, zodat ik het in mijn woordenboek kon opzoeken. Ze vond me mooi! Ik bekeek mezelf in de spiegel en dacht dat ze me belachelijk had gemaakt.

Toen ik een paar maanden in Hôtel Hibiscus had gewerkt, realiseerde ik me dat ik in een ander hotel meer kon verdienen. Het Hibiscus betaalde slecht, en ik moest zeven dagen per week werken. Bovendien vielen sommige mannelijke hotelgasten me lastig. Ik denk dat ze dachten dat ik zo'n Aziatisch meisje was dat toch geen stennis zou schoppen. Ik wilde niets meer met dat soort dingen te maken hebben en wist nu dat dat ook niet meer hoefde.

Ik ging in een ander hotel werken. De gasten daar bestonden voornamelijk uit gepensioneerde mensen die er een paar weken achtereen logeerden. Dat gaf me de kans ze een beetje te leren kennen, en van die ouderen heb ik echt Frans geleerd. Sommigen waren heel aardig: ze noemden me hun 'Cambodjaanse prinsesje'. Ik merkte dat Fransen alle Aziaten op één hoop gooiden, maar dat vond ik niet erg; Cambodjanen doen dat ook met buitenlanders – in onze ogen zijn het allemaal barang.

Ik hou van oude mensen. Ze verdienen het met respect behandeld te worden. Als ze pijn in hun botten hadden, wreef ik hun benen wel eens, en masseerden hun enkels. Dat vonden ze fijn. Ze begonnen grapjes te maken tegen de bedrijfsleiding over dat het mooie, leuke meisje dat de kamers schoonmaakte, maar dat de vervelende personeelsleden in het restaurant bedienden. Dus mocht ik alleen 's ochtends kamers schoonmaken en moest ik bij de lunch in de bediening werken.

Ik kreeg heel veel fooi, maar daardoor werd de rest van het personeel jaloers. Ze noemden me 'Chink'. Mijn bestellingen kwamen nooit op tijd. Na een paar weken ging ik door het lint. In de keuken pakte ik een mes en schreeuwde tegen een meisje: 'Als je zo doorgaat steek ik dit mes in je buik!' Ik stond ervan te kijken dat ik wist hoe je dat in het Frans moest zeggen. Daar maakte ik geen vrienden mee, maar ik kreeg er wel rust door. Vanaf dat moment lieten ze me met rust.

Mijn schoonmoeder deed nog steeds vijandig tegen me. Ik maakte voor haar schoon en bood soms aan om te koken, maar ze vond wat ik klaarmaakte niet lekker en zei niet veel tegen me. Het was altijd zonneklaar dat ze liever alleen met haar zoon was; ze probeerde voortdurend een wig tussen ons te drijven. Als ik 's middags na mijn werk thuiskwam, durfde ik niet iets te eten voor mezelf klaar te maken, ook al had ik altijd honger.

Ik viel erg af. Eén keer gaf ze Pierre en mij eieren met spinazie te eten en gaf ze haar hond vlees. Ik verdroeg alles, want volgens Cambodjaans gebruik moet je alles verdragen wat je schoonmoeder doet en er niet over klagen tegen je man. Een Khmer-echtgenoot kiest altijd de kant van zijn moeder tegen zijn vrouw, dus je kunt het maar beter in stilte verduren.

Maar toen we inmiddels vier maanden in het appartement van Pierres moeder hadden gewoond, kwamen er vrienden van haar op bezoek. Ze hadden kinderen bij zich – van die kinderen die overal op springen en dingen kapotmaken. Tegen een van de kleintjes zei ik: 'Niet zo springen. Als de oude mevrouw terugkomt wordt ze boos.' In mijn ogen was dat geen belediging. In Cambodja zeggen we *yeh* tegen een bejaarde vrouw – dat is een teken van respect. Maar in Europa wil men de feiten niet onder ogen zien: je moet doen alsof je niet oud bent, ook al ben je bejaard. Toen mijn schoonmoeder thuiskwam, vertelde de moeder van de monstertjes dat ik haar 'de oude mevrouw' had genoemd, en mijn schoonmoeder was woedend. Ze gaf me een klap in mijn gezicht en sloot me op in mijn kamer.

Ze had kunnen bedenken dat ik maar heel weinig Frans sprak; ze had kunnen proberen om het te begrijpen. Ik was totaal overstuur. Toen Pierre thuiskwam, legde ik uit wat er was gebeurd. Tot mijn verbazing begreep hij het meteen en hij zei dat het hoog tijd was dat we ergens anders gingen wonen.

Pierre had net een tijdelijke baan als laboratoriummedewerker gevonden, waardoor we gemakkelijker de huur konden betalen. We huurden een éénkamerappartement op de begane grond van een appartementencomplex, met een tuintje. De eerste nacht kreeg ik een nachtmerrie: het krioelde in de tuin van de slakken, net als de maden die de bewakers van tante Peuve altijd op mijn gezicht en lichaam gooiden. Ik krijste het uit. Pierre vond het een verschrikking, maar de rest van de nacht droeg ik sokken, een paar pyjamabroeken over elkaar, handschoenen en een muts. Ik wilde niet dat die slakken me aanraakten.

Maar de nachtmerries kwamen steeds minder vaak. De Centrale Markt in Phnom Penh was ver weg en ik begon aan mijn nieuwe leven te wennen. Op een middag was ik vroeg vrij en ik besloot Nice eens te verkennen, want ik kende de stad nauwelijks. Ik nam de bus. Ik stapte zomaar op een halte uit en liep rond in een wijk die ik niet kende. Ik verdwaalde en belde Pierre, maar hij zei dat ik het zelf maar moest uitzoeken, want ik was een grote meid: ik was er zelf heen gegaan, dus ik moest ook maar zien hoe ik terugkwam.

De straat waar we woonden lag dicht bij zee, dus hield ik mezelf voor dat ik, als ik langs de kust bleef lopen, ook de weg terug naar huis moest kunnen vinden. Ik liep tot mijn voeten pijn deden, en toen ik opkeek, zag ik een bordje met iets in het Khmer erop. KU TIEU PHNOM PENH – noedelsoep in de stijl van Phnom Penh. Ik dacht dat ik droomde. Ik ging naar binnen en begon in het Khmer tegen de mensen daar te praten. Ze gaven antwoord. Ik werd overmand door emoties en de tranen sprongen me in de ogen. Ik ging zitten en dronk twee kommen lekkere, pittige soep. Toen nam ik koffie met gecondenseerde melk die op ijsblokjes werd geschonken, zoals we hem in Cambodja drinken.

Zo kwam ik in contact met de Khmer-gemeenschap in Nice. De eigenaren van het restaurant vertelden dat ze een Khmer-groep hadden en dat ze bezig waren een festival te organiseren om in april met Cambodjaanse Apsara-dansen het nieuwe jaar te vieren. Ik had die dansen als kind in Thlok Chhrov geleerd, en ze vroegen of ik aan de uitvoering mee wilde doen.

Daarna liep Pierres contract als laboratoriummedewerker af – het was maar een tijdelijk contract geweest en het werd niet verlengd. Ik verdiende ongeveer 3000 francs per maand in het hotel, maar onze éénkamerwoning kostte ons al 2500 francs. Pierre had iemand ontmoet die in Cambodja een laboratorium voor medische analyses wilde beginnen, maar de onderhandelingen schoten niet op. Ik moest meer werk zien te vinden en wist nu dat er langs de kust een heleboel Aziatische restaurants zaten.

Ik klopte overal aan. Een Chinese man uit Cambodja wilde me wel een baan in zijn restaurant geven, als afwasser. Hij zei zelfs dat ik van tevoren rijst mocht komen eten. Ik zou er niet officieel werken – hij wilde geen loonbelasting aan de staat afdragen – maar ik was gewoon blij met het geld.

Soms kreeg ik betaald, soms ook niet. Ik ging 's ochtends om zes uur thuis weg, liep de tien kilometer naar het hotel en werkte daar tot drie uur 's middags, was om vier uur thuis en ging dan om zes uur weg om in het restaurant te werken. Pierre kwam me dan om een of twee uur 's nachts ophalen. Hij klaagde altijd dat ik naar de keuken rook, en op een gegeven moment zei ik dat ik wel alleen naar huis liep.

Pierre is nooit iemand geweest die kon troosten; hij is niet goed in tederheid. Hij is recht door zee, en hij heeft scherpe kantjes, waar je je soms pijn aan kunt doen. Dat heeft zo zijn voordelen. Pierre heeft me geleerd voor mezelf op te komen en hij heeft gezorgd dat ik mijn mond opendeed; hij vond het vreselijk als ik niks zei.

Op een dag in de zomer ben ik in het hotel flauwgevallen. De dokter zei dat ik overwerkt was en dat ik er twee weken tussenuit moest. Maar ik kan dat niet, nietsdoen, en twee dagen later was ik weer terug. Ik vond het werk in het hotel nu eenmaal leuk. Ik vond het leuk om voor de oude mensen te zorgen. Ik had het gevoel dat ze om me gaven.

Toen de zomerdrukte voorbij was, liet het hotel me weten dat ik aan de beurt was om vakantie te nemen. Ik had er een jaar gewerkt, en volgens mijn salarisstrookjes had ik vier weken vakantie opgebouwd. Ik was nog nooit eerder met 'vakantie' geweest; ik had geen idee dat je daar recht op had en kon me niet voorstellen wat de Fransen in Nice deden. Ze liepen volgens mij voornamelijk rond in kleurige kleren en gaven geld uit. Wij hadden geen geld, dus dat was geen optie.

Een neef van mijn schoonmoeder opperde dat we tijdelijk werk in de *vendange* konden doen – de druivenoogst. Hij zei dat hij een man kende die ons in Villefranche werk kon bezorgen, waar we een maand lang Beaujolais-druiven konden plukken. Pierre dacht dat de frisse lucht en verandering van omgeving ons goed zou doen, dus we gingen erheen.

Monsieur Marcel was heel aardig, maar toen hij mij zag, zei hij: 'Dat redt ze nooit.' Ik was maar een kleintje, woog iets van vijfenveertig kilo en hij minstens het dubbele. Maar ik zei tegen Pierre: 'Moet hij eens opletten.' Ik was gewend aan lichamelijk werk.

Pierre kon niet tegen de kou, de vochtigheid, de aarde die aan zijn voeten bleef plakken. Hij kon het werk gewoonweg niet, maar ik vond het heerlijk. Het was fijn om in de buitenlucht te zijn en de aarde te ruiken, de druiven in mijn hand te voelen, en ik vond druiven plukken een stuk gemakkelijker dan rijst oogsten. Pierre was trots op me, en monsieur Marcel ook. Hij noemde me altijd 'onze kleine Chink', maar dat bedoelde hij heel aardig.

Op gezette tijden hield iedereen op met werken om te pauzeren en te eten. Daar heb ik kaas en koude worst leren eten, met andere woorden: daar ben ik echt een Française geworden. Ik leerde de uitstekende plattelandskeuken kennen, soepen en hartige gerechten die stukken beter waren dan de plastic zakjes met rijst die me in Parijs waren voorgezet. Monsieur Marcel en zijn familie waren heel lieve mensen. Toen de oogst daar klaar was, wilde ik verder, dus toen gingen we naar Gevrey-Chambertin in Bourgondië. De bedrijfsleider was zo blij met me dat hij me een fles wijn voor thuis meegaf.

Maar ondanks al dat fijne werk besloten we toch weg te gaan uit Frankrijk, terug naar Cambodja. Pierre had daar weer werk gevonden, bij een andere hulporganisatie. Deze keer ging hij voor Médecins Sans Frontières, Artsen Zonder

Grenzen werken. Pierre was tot de conclusie gekomen dat hij niet gemaakt was voor het leven in Frankrijk – het lag hem gewoonweg niet. Hij wilde avontuur, iets wat minder gesetteld was dan een klein medisch laboratorium in Nice.

Ik was trots dat ik weer naar huis ging. Ik wist dat ik gedurende de anderhalf jaar dat we in Frankrijk hadden gewoond, erg veranderd was. Ik had eerzaam werk gedaan. Ik had geleerd om mensen aan te kijken en rechtstreeks met hen te communiceren, als een gelijke. Ik wist dat de mensen bij thuiskomst in Cambodja niet meer op me zouden neerkijken als de hoer van een blanke man. Ze zouden me als de vrouw van een blanke man beschouwen. Ik behoorde nu tot de mensen die wij de *Khmers de France* noemen: Cambodjanen die in Frankrijk wonen en terugkomen voor vakantie, met geld en macht en met de zelfverzekerdheid van de blanke. Ik mocht dan een donkere huid hebben en er nog steeds als een wilde uitzien, ik had wel bewezen dat ik niet stom was, en ik voelde me niet meer waardeloos.

9

Kratie

Pierres nieuwe baan was in Kratie, een oude koloniale stad in een bocht van de rivier de Mekong, op ongeveer driehonderd kilometer ten noordoosten van Phnom Penh. In november 1994 trokken we in een kamer in een groot huis vlak bij de rivier, dat gehuurd was door een aantal mensen dat voor Médecins Sans Frontières werkte. Bijna alle blanke teamleden van MSF woonden bij elkaar – dat was goedkoper, en ze betaalden een Cambodjaanse vrouw om voor hen schoon te maken en te koken.

Pierre wilde niet extra betalen voor de kokkin – hij zei dat het te duur was en dat hij toch geen zin had om de hele tijd met de andere Fransen te praten. Zo had Pierre het graag: als we in Cambodja woonden, wilde hij ook als een Cambodjaan leven. Die houding beviel me wel. Hij at liever rijst bij een kraampje langs de kant van de weg met de Cambodjaanse medewerkers van MSF dan dat hij met de artsen thuis gebraden kip at.

Toch was de sfeer in het MSF-huis prima. Ik hielp de kokkin altijd met opruimen. Het was een oudere vrouw van een jaar of vijftig en ze heette Veasna, maar iedereen noemde haar Yvonne, omdat dat gemakkelijker was. Aanvankelijk verbaasde het haar dat ik haar kwam helpen. Ze dacht dat ik, omdat ik een Khmer de France was, mezelf belangrijker voelde dan haar. Ik vertelde dat ik niet echt een Khmer de France was, maar ik zweeg over mijn verleden.

Vlak na onze aankomst ging ik op bezoek bij mijn adoptie-ouders. We spraken af in Kampong Cham, dat niet zo ver is; daar woonde mijn zus Sochenda, en ik wilde haar en haar nieuwe kindje graag zien. Sochenda was getrouwd met een man die ze zelf had uitgekozen. Toen ze haar eindexamen had gedaan, was ze in Kampong Cham verder gaan studeren en daar was ze met een medestudent getrouwd. Ik had gehoord dat ze nu allebei bij het ministerie van Landbouw werkten.

Ik schrok van hun woonomstandigheden. Het huis waar Sochenda en haar man met hun twee kinderen woonden, en inmiddels met drie, was een treurige bedoening. Ze waren heel arm; Sochenda was net gestopt met werken, omdat hun salaris al heel lang niet was uitbetaald, er was net bij hen ingebroken en ze waren veel dingen kwijtgeraakt.

Phanna arriveerde, en toen ik haar zag, schrok ik weer. Ze was mager en oud, niet meer jong en knap. Ze had haar zoontje van vijf bij zich en haar dochtertje Ning, een beeldschoon meisje van drieënhalf.

Toen kwamen mijn ouders, allebei achter op een stokoude motortaxi. Ze zagen er mager en verschrompeld uit. Iedereen keek heel verdrietig, en toen ze elkaar zagen, begonnen ze allemaal te huilen. Ik voelde een golf liefde en medelijden voor hen; in hun brieven aan mij in Frankrijk hadden ze nooit geklaagd. Ze hadden altijd gezegd dat thuis alles prima ging en ze hadden me niet één keer om geld gevraagd, zoals de meeste families wel zouden hebben gedaan.

Ik dacht bij mezelf: ik weet waarom ik terug ben, namelijk om voor deze mensen te zorgen. Deze familie had haar hand naar me uitgestoken en me in haar midden opgenomen, deze mensen waren alles wat ik had, en ik zou ze nooit meer in de steek laten.

Sochenda had niets te eten in huis, niet eens rijst, alleen een paar zoete aardappelen, en haar zoontjes waren mager. Ik

ging de deur uit en kocht een zak rijst van vijftig kilo en allerlei soorten eten: kip en vis om vissoep van te maken. Ik kocht
veel, maar alles ging op. Ze hadden zo'n honger dat ze zich
niet konden inhouden.

Ik bleef twee nachten. De eerste avond vroeg vader of ik
naar een hotel wilde, maar ik zei van niet. Ik mocht dan in
Frankrijk geweest zijn, ik was nog steeds dezelfde. Ik vertelde
hem dat ik nog steeds Somaly heette, de naam die hij mij als
kind in Thlok Chhrov gegeven had. Maar in werkelijkheid
was ik ervan geschrokken hoe smerig alles was. Ik was er niet
meer gewend om me onder een sarong in de buitendouche te
wassen, en het bed was een ramp. Ik was wel veranderd.

Toen ik terug was in Kratie, zei ik tegen Pierre dat ik mijn familie wilde helpen. Hij zei: 'Het is jouw geld; doe ermee wat je
wilt.' Ik gaf hun geld om boodschappen te doen en om een bedrijfje op te zetten, zodat ze dingen konden verkopen. Mijn
ouders hadden heel lang geleefd van de schoolspullen ter
waarde van honderd dollar die ik hun had gegeven. Lang
voordat het een gezegde werd, zei mijn vader in Thlok
Chhrov altijd al tegen ons: 'Je kunt beter een hengel geven dan
een vis.'

Overdag ging ik vaak naar de overheidskliniek waar Médecins Sans Frontières operaties uitvoerde. Ik hielp met tolken,
aangezien de meeste leden van het MSF-team geen Khmer
spraken. Op een dag werd er een traditionele genezer binnengebracht. Hij protesteerde, want hij wilde niet naar het over-
heidsziekenhuis, maar twee jeugdig uitziende mensen hadden hem binnengebracht en hij was te zwak om echt
weerstand te bieden. De artsen riepen mij erbij omdat hij behandeld moest worden, maar dat weigerde.

Toen ik vroeg of ik kon helpen, begon de oude man in zijn
eigen taal tegen me te praten.

Het drong tot me door dat hij me op de een of andere manier herkende, en toen besefte ik ook dat ik de portee van wat hij zei min of meer begreep. Misschien leek zijn taal op de taal die bij ons in het bos gesproken werd, ik weet het niet. In elk geval moest ik toen voor het eerst in heel lange tijd weer aan mijn jeugd denken, aan hoe die was geweest. Ik was de Phnong vergeten. Die nacht kon ik niet slapen. Ik realiseerde me dat ik vergeten was waar ik vandaan kwam en wie ik was.

Nu we weer in Cambodja waren, moest ik bedenken wat ik wilde doen. Geld vond ik niet belangrijk; we hadden genoeg. Ik vroeg aan de baas van Pierre bij de Médecins Sans Frontières-kliniek of ik daar elke ochtend als vrijwilliger mocht werken. Ik was in Chup immers min of meer tot vroedvrouw opgeleid – net zo goed opgeleid als iedereen in die tijd in een Cambodjaans ziekenhuis was. En ik sprak Frans en Khmer, wat op zich al nuttig was.

Ik ging elke ochtend als assistent in de kliniek werken, in het team van de seksueel overdraagbare aandoeningen. Ik werkte samen met een dikke verpleegster die ik niet graag mocht. Ze vertelde de patiënten achter de rug van de artsen om altijd dat ze haar voor de medische behandeling moesten betalen, terwijl dat helemaal niet waar was. Ik diende medicijnen toe, maakte wonden schoon en legde de patiënten uit hoe ze voor zichzelf moesten zorgen. Ze hadden gonorroe, syfilis, genitale wratten.

Er kwamen voornamelijk mannen naar de kliniek. Sommigen keken beschaamd, maar de meesten waren gewoon kwaad. Ik had een hekel aan ze. Ik wist dat ze die ziektes hadden gekregen door prostituees te kopen en te verkrachten. Maar ik wilde dat ze zouden genezen, want ik wist dat ze ook die prostituees en hun vrouw besmetten, dus verpleegde ik hen.

Op een dag kwam er een meisje binnen. Ze was een jaar of

achttien, en ik zag ogenblikkelijk dat ze prostituee was – dat zag je meteen. Ik wist ook dat ze erover zou liegen. Welke 'gebroken' vrouw kon in Cambodja nu naar een respectabel ziekenhuis gaan en daar naar behoren behandeld worden?

Ik zag hoe mijn collega haar behandelde – vijandig en neerbuigend – en ik nam haar apart en sprak heel vriendelijk tegen haar. Ik legde haar uit waar de behandeling uit bestond en sprak met haar over seksueel overdraagbare aandoeningen. Ik zei dat ze moest proberen zich schoon te houden en condooms moest gebruiken, en ik vertelde haar over de hiv-besmetting. Aids waarde al meer dan tien jaar in Europa rond, maar in 1994 was de epidemie in Cambodja pas begonnen. (Vandaag de dag hebben we een van de hoogste percentages aidsbesmettingen van heel Azië.)

Ik zei tegen dat meisje dat ze ook tegen de anderen moest zeggen dat ze, als ze behandeld moesten worden, elke ochtend naar de kliniek konden komen. Dan zou ik er zijn, en ik zou ervoor zorgen dat ze goed behandeld werden. Vanaf dat moment kwamen er meisjes uit de bordelen naar de kliniek, in kleine groepjes. Ze waren zestien, zeventien, eenentwintig jaar. Het waren geen kinderen meer, maar ze waren wel jong. Sommigen keken me heel lief en hoopvol aan, maar de meesten keken gewoon gelaten en diepbedroefd.

Ik kende die meisjes wel: ik was het zelf. Ik wist precies wat voor leven ze leidden. Ik merkte dat ik 's nachts in het huis aan de rivier van Médecins Sans Frontières niet meer kon slapen. Elke nacht dacht ik aan die meisjes die ziek de kliniek verlieten en teruggingen naar de plek waar ze diezelfde avond nog door klanten geslagen en verkracht zouden worden.

Ik vond dat ik geen keus had: ik moest ze helpen het leven waarin ze gevangenzaten, slechts een paar straten bij mij vandaan, achter zich te laten. Heel weinig mensen konden ze daarbij helpen, maar ík wel.

Ik wist waar de meisjes zaten, doordat ik de weg in hun wereld kende, en ik wist hoe ik met hen moest communiceren. Wat ik precies tegen hen zou zeggen was minder belangrijk dan de band die er tussen ons bestond. Als een slachtoffer een ander slachtoffer ontmoet, kijken ze elkaar met een blik van verstandhouding aan waar heel veel kracht van uitgaat. Ik voelde me met deze meisjes verbonden, en zij vertrouwden mij. Ik móést hen helpen.

De meesten vertelden me dat ze geen zeep hadden om zich mee te wassen, en ik wist dat dat waar was: ik had ook nooit zeep gehad. Ze vertelden me dat áls hun klanten al condooms gebruikten, het van die goedkope Thaise waren, in allerlei vreemde vormen, die voortdurend scheurden. Dus begon ik daar. Ik sprak met de baas van Pierre bij de MSF en vroeg of hij me een partij condooms kon geven die ik dan aan de prostituees zou uitdelen. Ik voerde het argument aan dat het dan misschien geen medicijn was, maar dat ze wel heel belangrijk waren om ziektes te voorkomen.

Hij zuchtte – dit soort dingen lag moeilijk voor de MSF, omdat het een organisatie is die zich richt op humanitaire noodhulp, en niet op preventieve maatregelen ten aanzien van seksueel overdraagbare aandoeningen. Ik weet niet hoe het gelukt is, maar hij heeft er toch voor gezorgd dat ik een partij condooms kreeg en een informatiepakket over hoe je kon voorkomen dat je hiv opliep. Hij zei dat het hem te ver ging om ook stukken zeep voor me te kopen; daar moest ik zelf maar voor zorgen.

Ik ging de markt op en kocht zeep. Vervolgens deelde ik de condooms en de zeep niet alleen in het ziekenhuis uit aan meisjes die al ziek waren, maar ik ging ook naar de bordelen om ze daar aan iedereen uit te delen. Dat leek me slimmer.

De bordelen in Kratie waren anders dan de bordelen in Phnom Penh. Die bevonden zich niet in aftandse gebouwen in de buurt van de markt, maar het waren krotjes op palen in het modderige afval langs de rivier, aan de rand van de stad. Maar verder waren ze in alle opzichten net zo goor als de bordelen die ik had meegemaakt, en ging het er net zo wreed aan toe. Als ik ernaartoe liep begon ik te transpireren, maar ik liep door, ook al moest ik bijna overgeven.

Ik deed altijd alsof ik een verpleegster van Médecins Sans Frontières was. Ik kleedde me als een Khmer de France en kwam binnen met een houding alsof ik een officiële missie had, en met een doos condooms. Ik zei tegen de meebons dat ik wilde dat de meisjes gezond bleven en dat het voor hen beter was als ze geen ziektes opliepen. Daar konden ze het alleen maar mee eens zijn. Ze waren ook een beetje bang voor me, denk ik: een Khmer de France, de vrouw van een blanke buitenlander. Ze durfden me de toegang niet te weigeren.

De eerste ochtend trof ik een meisje aan dat zo klein was dat ze volgens mij hooguit twaalf jaar kon zijn, hoewel ze zei dat ze zestien was. Een klant had haar tepel eraf getrokken, en de wond was ontstoken geraakt. Ik zei tegen de meebon dat het meisje mee moest naar het ziekenhuis om daar behandeld te worden. Dat ging heel gemakkelijk: de meebon had er belang bij dat haar slavinnen gezond waren, en op deze manier hoefde ze er geen cent aan uit te geven.

In de kliniek bleef ik bij het meisje, en ik zorgde ervoor dat de verpleegsters haar goed behandelden. Ze was opgewekt en dankbaar, en ik vond het verschrikkelijk dat ik haar die avond terug moest brengen.

Dat gebeurde nog een paar keer, en toen realiseerde ik me dat ik dit niet meer kon. Als je een meisje ziet dat ernstig gewond is, móét je haar gewoonweg helpen. Als ik erin slaagde om de meisjes 's avonds weer op tijd voor hun werk naar het bordeel terug te brengen, mocht ik ze van de meebons in een taxi meenemen naar het ziekenhuis.

Ik vroeg Médecins Sans Frontières of ik een auto met chauffeur kon krijgen, zodat ik een aantal van de ziekste meisjes elke ochtend naar de kliniek kon brengen. Toen het ernaar uitzag dat M S F me niet zou helpen, nam ik uit frustratie de vrouw van Pierres baas mee naar de bordelen, zodat ze de situatie met eigen ogen kon zien. Ze heette Marie-Louise. Ze was ook arts, en een fantastische vrouw. Ze zag de beurs geslagen meisjes in hun weerzinwekkende omgeving, hun wonden en littekens, en ze was ontsteld. Ze kon niet geloven dat mensen andere mensen zo behandelden. Toen we terug waren op het kantoor van M S F, was ze sprakeloos. Marie-Louise zorgde ervoor dat ik vanaf dat moment een auto tot mijn beschikking had.

Door Frankrijk was ik veranderd. Ik was niet meer bang voor mensen. Ik bracht het grootste deel van de dag door in de wijken van Kratie waar de bordelen zaten. Het ging niet alleen om condooms en informatie over hiv uitdelen of om meisjes naar het ziekenhuis vervoeren, maar ook om dicht bij deze meisjes te zijn en een diepere band met hen te kweken.

Toen ik in het bordeel van tante Peuve zat, zijn er heel wat momenten geweest waarop ik iemand nodig had – al was het alleen maar iemand die haar armen om me heen had kunnen slaan als ik moest huilen. Voor mij was er nooit iemand geweest, hoewel ik in andere opzichten weer geluk heb gehad. Nu wilde ik zo iemand voor anderen zijn.

De meisjes in Kratie waren voornamelijk schuldslavinnen, zoals ik ook ooit geweest was. Ze betaalden een lening terug die door hun ouders of familieleden was aangegaan. Sommigen hadden er zelf mee ingestemd. Zo gaat het in Cambodja: als je een meisje bent, dien je je ouders te gehoorzamen. Als je familie wil dat je je lichaam langs de kant van de weg verkoopt, zodat je jongere broer naar school kan – of zodat je moeder kan gokken – dan doe je dat. Je hebt niet het gevoel dat je een keuze hebt.

Een paar meisjes waren gewoon echt verkocht. Die woonden in de ergste bordelen, waar de eigenaren vijandiger waren en ze zwaarder werden bewaakt. Veel van deze meisjes waren erg jong. Het waren gevangenen, en ik mocht ze niet meenemen naar het ziekenhuis. Maar andere bordelen werden minder zwaar bewaakt.

De pooiers weten dat hun levende have toch niet zal proberen te ontsnappen. De wil van een meisje is gebroken en ze komt er al snel achter dat ze toch nergens heen kan. Ze konden niet meer terug naar huis, want daar waren ze niet meer welkom. Ze waren kapotgemaakt. Ze beschikten niet over vaardigheden en konden dus niet in hun eigen levensonderhoud voorzien. Ze waren er min of meer toe veroordeeld zichzelf levenslang te verkopen. Ik voelde de paniek, de echo van mijn eigen ervaringen.

Het eerste meisje dat ik hielp ontsnappen had een donkere huid, net als ik. Ze had steil haar, helemaal tot onder op haar rug. Ze was zestien jaar en was al langer dan een jaar prostituee. Ze werd bewaakt, maar ik móést haar helpen.

Ik vond een kleermaakster in Sambo, een dorp vijftien kilometer stroomopwaarts vanaf Kratie. Dat was niet ver, maar ik hoopte dat het ver genoeg zou zijn. De vrouw was bereid meisjes op te nemen en ze voor honderd dollar per persoon tot kleermaakster op te leiden. Ik vroeg Pierre om het geld, en dat gaf hij me. Ik moet Pierre nageven dat hij nooit over dit soort praktijken geklaagd heeft, hoeveel ik ook uitgaf.

Ik ging terug naar het bordeel en zei tegen de meebon dat dit meisje de volgende dag naar de kliniek moest om verder behandeld te worden. Maar toen we alleen waren, zei ik tegen het meisje dat ze niet mee moest gaan. Ik vertrouwde de dikke verpleegster, mijn collega, niet: ze was te zeer belust op geld.

Ik zei dat ze naar mijn huis moest komen en dat ik haar naar het dorp zou brengen. Toen de meebon en haar bewakers haar in de kliniek kwamen zoeken, had niemand haar gezien, en mijn dikke collega zei tegen de bewakers dat ze vast ontsnapt was – dat gebeurde soms. Ze gingen weer weg.

Sambo lag ver genoeg om aan hun aandacht te ontsnappen. Ik betaalde voor nog twee meisjes, en toen voor nog twee. Ik stuurde ze erheen om voor kleermaakster te leren en gaf ze een kleine toelage om van te leven. Ik kocht ze niet uit de prostitutie, want daar had ik het geld niet voor. Maar ik verschafte hun wel een manier om de prostitutie te verlaten, als ze erin slaagden weg te komen.

Ik deed dit al een paar maanden toen een van de pooiers uit de buurt een pistool tegen mijn hoofd zette. Ik kende hem wel. Hij was een oude man, meneer Eng geheten. De prostituees in het bordeel van deze oude man werden zwaar bewaakt en hij liet ze nooit buiten. Ik had geen van zijn meisjes aangespoord de benen te nemen.

Ik ging naar het bordeel van meneer Eng om condooms uit te delen en te praten, maar voor ik de ladder van zijn huis op palen opgeklommen was, stond hij met een pistool in zijn hand op van de stoel waar hij in zijn onderhemd had zitten dommelen. Hij zette het tegen mijn hoofd en zei dat ik moest oprotten of dat hij me anders zou doodschieten.

Ik keek hem alleen maar aan. Ik weet niet waar ik de moed vandaan haalde, maar ik zei: 'Als u me doodschiet, gaan uw vrouw, uw kinderen, gaan jullie allemaal de gevangenis in, want ik word beschermd. U weet wie ik ben. Dan gaan jullie er allemaal aan.'

Ik was een Khmer de France en de vrouw van een blanke man. Hij liet het pistool zakken.

Toen ik dit later aan Pierre vertelde, zei hij dat ik naar het politiebureau moest om officieel aangifte te doen, zoals een buitenlander zou doen. Ik kwam tot de ontdekking dat de politiechef van de provincie de broer van Yvonne was, de vrouw die in het huis van het MSF-team schoonmaakte en voor hen kookte. Meneer Eng werd snel daarna in hechtenis genomen en de problemen waren voorlopig van de baan.

Ik wist dat er eigenlijk een huis moest komen waar de prostituees konden wonen en verzorgd konden worden als ze er eenmaal in waren geslaagd te ontsnappen. Pierres salaris was niet onuitputtelijk, en ik wist dat er nog ontzettend veel meisjes waren. Ik dacht ook dat er met geld misschien een manier te vinden was om de meisjes te redden die gevangengehouden werden. Ze zouden ergens op een veilige plek moeten kunnen wonen, ergens waar de pooiers niet bij hen konden komen. Ze moesten een opleiding volgen. Ik begon aantekeningen te maken, in het Khmer, over hoe dat er volgens mij uit moest zien. Ik dacht aan een soort liefdadigheidsstichting die geld inzamelde.

Toen begon ik me niet lekker te voelen. Het was nooit in me opgekomen dat ik misschien zwanger was. Voor de zekerheid was ik de anticonceptiepil gaan slikken. Toen ik me realiseerde waarom ik me zo beroerd voelde, raakte ik in paniek.

Ik wilde geen kinderen. Die zijn zo kwetsbaar. Ze voelen heel veel pijn en het is onmogelijk om ze te beschermen. Ik had het gevoel dat ik nooit goed voor een kind zou kunnen zorgen, omdat ik zelf nooit een moeder had gehad. Maar Pierre was dolblij. Hij zei: 'Vertrouw maar op de natuur; die zorgt wel voor je.' Dat was een beetje onrealistisch, maar wel lief.

Pierre ging me helpen met mijn plan voor een stichting om de prostituees te helpen. Samen met zijn Nederlandse vriend Eric Merman, die voor MSF werkte, stelde hij de statuten voor de organisatie op. Toen kreeg Pierre een baan in Phnom Penh aangeboden, bij een Amerikaanse hulporganisatie. Hij zou veel meer geld verdienen en vertelde dat hij besloten had de baan te accepteren.

10

Een nieuw begin

Ik vond een woning met twee slaapkamers voor ons aan de rand van Phnom Penh, in de wijk Tuol Kok. De huizen waren daar goedkoper en hadden een tuin, maar het was niet zo'n wijk waar de blanke buitenlanders kwamen wonen – het was een Cambodjaanse wijk. Ik had geen idee dat er allemaal bordelen zaten, maar daar kwam ik snel genoeg achter. Vlak bij ons huis lag een bordeel dat de 'Kapotte Kokosnoot' heette. 'Kokosnoot' is in het Khmer een ander woord voor het geslachtsdeel van een vrouw. De meebon stond voor de deur en schreeuwde naar de meisjes als ze zich niet levendig genoeg gedroegen. Ze waren ontzettend jong. Ik zag niemand die ouder was dan negentien, en er waren zelfs meisjes van twaalf bij.

Overal langs de weg die naar de stad toe liep, ruim een kilometer lang, stonden smerige keten, waar meisjes met beschilderde gezichten de mannen op de weg wenkten. Deze meisjes waren voornamelijk voor lokaal gebruik: ze waren voor de motodupbestuurders, bouwvakkers en arbeiders. Maar er waren ook wat bordelen langs die weg die gespecialiseerder waren. Daar werden jonge kinderen aangeboden. Cambodjanen noemen deze weg de Antennestraat, naar de hoge radiozendmast, maar de buitenlanders noemden hem inmiddels *la rue des petites fleurs* – de straat van de bloemetjes – omdat er zo veel jonge meisjes te koop waren.

Toen we net een paar dagen in Tuol Kok woonden, kwam er een jonge politieagent langs om ons als nieuwe bewoners te registreren. Zo werkte het systeem nog in die tijd, en aangezien Pierre buitenlander was, hadden we waarschijnlijk een speciaal huisbezoek verdiend. De politieagent, ene Srena, was een jonge jongen van een jaar of negentien, en hij zag er hongerig uit. Ik maakte thee voor hem en gaf hem vissoep, en hij vertelde wat over zichzelf.

Ik was ongeveer zes maanden zwanger, maar ik kon niet zomaar thuiszitten en nietsdoen. Zo ben ik nu eenmaal niet. En de ellende van de bordelen om me heen viel niet te negeren. Ik ging weer condooms uitdelen, net zoals ik in Kratie had gedaan, en bracht meisjes naar de kliniek. Ik deed net alsof ik een medewerker van Médecins Sans Frontières was; dat was geen geweldig idee, maar ik wist niks beters.

Ik moest mezelf wapenen om terug te gaan naar de bedompte, smerige steegjes achter de Centrale Markt, waar ik vroeger had gewerkt. Het is me nooit gelukt om weer terug te gaan naar het gebouw waar tante Peuve haar bordeel had. Daar kleefden te veel herinneringen aan; ik werd al misselijk als ik erbij in de buurt kwam.

Ik weet niet of mensen me op straat herkenden. Waarschijnlijk niet. Ik kleedde me anders en had een totaal andere houding. Wie zou deze zelfverzekerde, goedgeklede zwangere vrouw nu in verband brengen met het troosteloze, schriele spook dat 'khmao' werd genoemd? Ik ging niet naar mensen op zoek die ik kende; ik wist vrijwel zeker dat iedereen weg was.

Phnom Penh was in die tweeënhalf jaar enorm veranderd. De stad was veel welvarender, veel drukker geworden. Overal waren bouwputten. De bordelen waren ook veranderd. Het bordeel van tante Peuve had, net zoals zoveel gelegenheden, verscholen gelegen in de steegjes achter de hoofdstraat, maar nu lagen ze pontificaal vooraan. Het waren officiële gelegenheden geworden.

De ergste bordelen lagen zonder enige twijfel in Svay Pak. We hadden een auto – een gammele lichtblauwe Camry, die Pierre voor achthonderd dollar had gekocht – en die gebruikte ik om erheen te rijden. Het lag op een kilometer of tien buiten de stad en het was een hele wijk vol bordelen, rond de hoofdweg gegroepeerd. In Svay Pak stonden hutjes, maar ook bordelen in betonnen panden met hoge poorten en muren eromheen. Het leken wel burchten, en het was zonneklaar dat de mensen binnen die muren gewapend waren: elk bedrijf in Phnom Penh beschikte over een wapen. De meeste van die bordelen lieten me niet binnen. Veel meisjes zaten daar gevangen, en sommigen waren nog heel jong. Svay Pak was gespecialiseerd in meisjes van Vietnamese komaf, licht en mooi, maagden nog.

Sommige kinderen waren pas tien jaar, sommigen nog jonger. Ik had het nog nooit gezien en was geschokt. Ze waren vaak ernstig verwond. Ik pakte mijn dagelijkse routine weer op: ik ging elke dag naar de bordelen en bracht meisjes voor behandeling naar de MSF-kliniek of naar het ziekenhuis waar Pierre werkte.

Phanna's dochter Ning was ernstig ziek. Ze was ongeveer vijf jaar, en sinds ze naar Phnom Penh waren verhuisd, was ze al ziek. Pierre en ik namen haar mee naar het ziekenhuis, en daar werd vastgesteld dat ze tuberculose had. Ze werd opgenomen. Ze mocht op een gegeven moment uit het ziekenhuis, maar toen Phanna op een dag naar me toe kwam, lijkbleek, was ze nog steeds niet helemaal hersteld.

Ze vertelde me dat haar man van plan was om Ning aan een buurvrouw te geven – een vrouw die aangeboden had Ning in huis te nemen, aangezien ze zelf geen kinderen had. Ze had hem zelfs geld aangeboden. Hij zei dat dit een goede oplossing was, aangezien Ning altijd ziek was. Phanna kwam mij vragen of ik een oplossing wist, dus besloten Pierre en ik, aangezien ik acht maanden zwanger was, om Ning bij ons te laten wonen. Het was een ontzettend lief kind, echt een schatje, en we waren altijd al dol op haar geweest.

Mijn uitgerekende datum naderde, maar ik vond het nog steeds een vreemd idee dat ik een kind zou krijgen. Er groeide een wezen in me dat bewoog en schopte en dat me binnenkort nodig zou hebben, maar de gedachte dat ik iemands moeder zou worden verlamde me. Ik had zelf nooit een moeder gehad en had altijd verdriet gehad om dat gat in mijn leven. Ik kon me niet voorstellen dat ik zelf moeder werd. Pierre hielp me niet erg: hij zei dat ik er bespottelijk uitzag en noemde me 'Truck', omdat ik zo dik was.

Ik had maandenlang nachtmerries gehad met gruwelijke beelden van de vrouwen die ik, toen ik in Chup verpleegster was, tijdens hun bevalling had 'geholpen'. Ik zei tegen Pierre dat ik niets te maken wilde hebben met de verloskundige afdeling van welk Cambodjaans ziekenhuis dan ook. Cambodja was een land geworden waar alles te koop was, zelfs artsendiploma's. Hij zei dat dat geen punt was; ik kon in Bangkok, de hoofdstad van Thailand, bevallen.

Twee weken voor de uitgerekende datum vloog ik voor een controle naar Bangkok. Daar was ook Pierres moeder. Ze was nu veel aardiger tegen me, en uiteindelijk zouden we een heel goede band krijgen. Het ziekenhuis was heel schoon, heel strak en heel modern, maar na dat bezoek vond ik het nog steeds maar vreemd dat ik een kind kreeg. Ik begreep de dokter niet; hij sprak alleen Thais en Engels, en in die tijd sprak ik zelf geen Engels.

De dokter vertelde me dat de weeën al begonnen waren. Het ging allemaal heel snel – ik was al bevallen voordat Pierre er was. Toen het voorbij was, gaven ze me de baby. Het was donker in de kamer. Ik hield het warme, mooie wezentje in mijn armen, voor wie we al een naam gekozen hadden. Na veel gepraat hadden we een namenboek opengeslagen en de naam gevonden van een Turkse stad tussen Cambodja en Frankrijk: Adana. Ik vond haar er heel vredig uitzien.

Die nacht gebeurde er iets met me. Het was bijna alsof mijn leven opnieuw begon – een heel nieuw leven. Dit was mijn baby, mijn kind, dat uit mijn lichaam was gekomen, zoals ik uit het lichaam van mijn moeder was gekomen, de moeder die ik me niet kan herinneren en ook nooit zal kunnen herinneren. Ik keek de hele nacht naar haar en huilde: 'Kindje, kindje van me, ik wil niet dat je net zo'n leven krijgt als ik.' Ik zei tegen haar: 'Ik ga nooit bij je weg,' en ik beloofde haar dat ik ervoor zou zorgen dat haar niets overkwam.

We gingen terug naar Phnom Penh. Mijn schoonmoeder was helemaal weg van de kleine Adana. Het leek wel of alles vergeven en vergeten was nu ik een kleinkind had gebaard. Pierre was ook dolgelukkig. Toen we een wandelingetje gingen maken met onze meisjes, Ning en Adana, zei hij dat ik mooi was. Ik was gelukkig.

Toen Adana een maand oud was, werd ik benaderd door een Amerikaan, ene Robert Deutsch. Hij zei dat het dringend was. Robert had een groep, PADEK genaamd, die voor krakers werkte, en hij zei dat er een vrouw bij hem was die zei dat haar dochter aan een bordeel was verkocht. Ze wilde haar dochter terug, en Robert dacht dat ik misschien kon helpen.

Het meisje was een jaar of dertien en heette Srey. Haar moeder vertelde dat ze de vriendin van haar schoonzus ervan verdacht dat ze haar verkocht had. Ik ging naar de wijk waar ze woonden, en deze vrouw maakte een verdachte indruk: ze werkte niet, maar had soms wel veel geld, zeiden de buren. En haar broer was politieagent.

Toen ik terug was, ging ik naar het politiebureau in de buurt van mijn huis, en daar trof ik Srena, de jonge agent die me had ingeschreven. Ik legde uit wat er aan de hand was en vroeg of hij deze vrouw in de gaten wilde houden, of hij haar een tijdje wilde volgen en zijn mond erover wilde houden. Hij zegde meteen zijn medewerking toe; het was een keurige jongen, en de gedachte dat een kind gedwongen in een bordeel zat vond hij afschuwelijk.

Srena kwam terug en vertelde dat hij gezien had dat de vrouw naar een bordeel in Tuol Kok ging, vlak in de buurt waar ik woonde. Ik zei dat hij er de volgende dag weer heen moest gaan en moest doen alsof hij een klant was. Dan moest hij vragen of er nog nieuwe meisjes waren en erachter proberen te komen of er eentje bij was die Srey heette. Dat deed hij, en de meebon zei: 'Ze is op dit moment te ziek om klanten te ontvangen.'

Ik vertelde het aan Robert, en hij zei dat we allebei naar de politie moesten. Sreys moeder was maar een arme vrouw, en de politie zou nooit actie op haar klacht ondernemen als ze alleen was. Maar als Robert en ik namens onze wettelijke organisatie een officiële klacht indienen, voelde de politie zich misschien verplicht om in actie te komen – dat was onze enige hoop om Srey eruit te krijgen.

We schopten zo'n stennis dat de politie toezegde het bordeel binnen te zullen vallen. Ik denk dat ze geen gezichtsverlies wilden lijden. In die tijd werd ons werk door niet veel politiemensen gesteund. Te veel van hen waren zelf bij de sekshandel betrokken; ze werkten als bewaker in een bordeel of kwamen er zelf als klant. Velen van hen investeerden er zelfs in.

Die eerste inval was een aanfluiting. Er waren maar een stuk of vijf agenten, Robert, de moeder van het meisje en ik.

Toen we via de voordeur naar binnen gingen, vluchtten de pooiers en de meeste meisjes via de achterdeur al naar buiten. Maar Srey, het meisje voor wie we gekomen waren, was nog binnen. Ze zag lijkbleek en lag op een smerig matje op de vloer te transpireren. Ze had koorts en was bijna buiten bewustzijn. In het tijdsbestek van een paar weken hadden de pooiers haar verslaafd gemaakt aan een of andere drug – amfetamine, denk ik.

We namen Srey mee naar het politiebureau om haar verhaal te doen en een aanklacht in te dienen. Ze zag bleek en kon bijna niet op haar benen staan. Toen ging ze weg, samen met haar moeder. Ik ging de volgende dag bij haar op bezoek en zorgde dat ze medicijnen kreeg. Maar ze had afkickverschijnselen, plaste op de grond, en het was duidelijk dat haar moeder het niet aankon – ze probeerde haar voor de buren verborgen te houden. Een paar dagen later vroeg ze of ik Srey wilde; ze wilde haar eigen dochter niet meer.

Srey was het eerste slachtoffer dat bij ons kwam wonen. We konden nergens met de meisjes naartoe en hadden geen geld om een opvanghuis te beginnen, maar we hadden twee slaapkamers en een woonkamer. Het was niet groot, maar er was ruimte genoeg.

Begin 1996 legden Pierre, Eric en ik de laatste hand aan ons project om een liefdadigheidsstichting te beginnen dat een echt centrum moest gaan runnen waar prostituees geholpen konden worden. We besloten de stichting een vriendelijke naam te geven; we wisten dat we moesten zien te voorkomen dat de meisjes die er kwamen wonen een stigma zouden krijgen. We kozen voor AFESIP, de Franse afkorting voor Actief voor Vrouwen in Nood. Daarmee kon iedereen wel worden bedoeld; je kon er niet uit opmaken dat het alleen om prostitutie ging.

We dienden ons project in bij het kantoor van de hulporganisatie van de Europese Unie in Phnom Penh, om fondsen te werven. Drie maanden later hadden we nog steeds geen reactie ontvangen en toen we de secretaresse belden, zei ze dat ze onze papieren niet kon vinden. Toen we teruggingen om de hele papierwinkel nog een keer in te dienen, was de vertegenwoordiger van de EU er. Ze vroeg: 'Maar wat willen jullie nou precies?'

We legden uit om wat voor project het ging en ze zei: 'Maar er zijn helemaal geen prostituees in Cambodja.' Ze was al langer dan een jaar in het land.

Ik ben niet diplomatiek. 'Mevrouw,' zei ik, 'u leeft in een wereld van hotels en kantoren met airconditioning. Dit is geen land met airconditioning. Ga naar buiten en kijk eens om u heen.'

We kregen geen geld van de EU. We kregen helemaal van niemand geld. Alle grote internationale organisaties die in Cambodja waren om projecten voor gewone mensen te financieren, zoals het onze, waren op de hoogte van onze missie, maar hulp aan prostituees had blijkbaar geen prioriteit, dus kregen we geen geld. Als een journalist iets over de handel in seksslavinnen in Cambodja wilden schrijven, stuurden deze organisaties wel eens een verslaggever naar me toe. Maar AFESIP werd in geen enkel artikel genoemd – de grote organisaties streken met de eer.

Pierres salaris had ooit riant geleken, maar zijn maandelijkse cheque van drieduizend dollar ging inmiddels helemaal op aan onze dagelijkse behoeften en mijn werk. Ik ging voor een makelaar werken om wat bij te verdienen met huizen zoeken voor de buitenlanders die nu in groten getale naar Cambodja kwamen namens hun niet-gouvernementele hulporganisaties. We hadden veel meer geld nodig – genoeg om een echt opvanghuis te beginnen waar gewezen prostituees konden wonen en weer op eigen benen konden leren staan. Maar met deze nieuwe baan had ik in elk geval wat meer geld – genoeg om de meisjes in ons huis te eten te geven en ze een opleiding tot kleermaakster te laten volgen.

Het was mijn taak om huizen voor buitenlanders te vinden. Ik zocht huizen die er aardig uitzagen en een tuin hadden, dus niet de karakterloze betonnen villa's die projectontwikkelaars overal in de stad neerplempten. Ik begreep wat buitenlanders wilden, want in bepaalde opzichten was ik zelf deels buitenlander geworden.

Op een middag klopte ik aan bij een klein huis dat achter een prachtige Cambodjaanse tuin lag, met orchideeën en een een banyanboom. Er woonde een oude man. Hij had helemaal geen zin om zijn huis te verhuren, maar we raakten toch aan de praat en hij nodigde me uit voor de thee.

Hij was een intellectueel en had alle mogelijke soorten revoluties en veranderingen meegemaakt, en verdriet – dat stond op zijn gezicht geschreven. Hij zei: 'In Cambodja zijn we net kikkers voor de koning. Als de koning het beveelt steken we onze kop boven het water uit en zingen we. Als hij een teken geeft, duiken we weer onder. Maar als we met onze kop boven komen zonder dat ons dat is gevraagd, hakt de koning hem er met zijn zwaard af. Ik heb alles gezien en alles meegemaakt,' zei hij. 'Het heeft allemaal geen zin. Als je jong bent, zoals jij, ben je enthousiast. Je wilt van alles begrijpen. Het heeft geen zin. Ik heb mijn hele leven gevochten, en waarvoor? Nu wacht ik op de dood. Het enige waar ik nog op hoop in deze wereld is de vrede die je nodig hebt om in je eigen tuin te kunnen werken.'

Ik begreep hem en heb nog vaak aan zijn woorden moeten denken. Als je een kikker bent, kun je maar het best je kop omlaag houden. Je steekt je nek niet uit om te proberen de wereld te veranderen. Dat begrijp ik. Ik heb niet het gevoel dat ik de wereld kan veranderen. Ik probeer het niet eens. Ik wil alleen maar dit kleine leven veranderen dat ik voor me zie en dat lijdt. Ik wil dit kleine echte ding veranderen, namelijk het lot van één meisje. En dan van nog een meisje, en van nog een, want als ik het niet zou doen, zou ik mezelf niet recht in de ogen kunnen kijken en zou ik 's nachts geen oog meer dichtdoen.

In augustus 1996 werd er in Stockholm, Zweden, een grote conferentie over seksuele uitbuiting van kinderen gehouden. Diverse journalisten schreven toen over de situatie in Cambodja. Daarna leken de grote internationale hulporganisaties meer belangstelling voor onze plannen met AFESIP te hebben. Eén groot agentschap van de VN zegde ons geld toe.

Het duurde een hele tijd. Inmiddels woonden er een paar meisjes bij Pierre en mij. Eén van hen was zwanger, twee waren door hun pooiers verslaafd gemaakt aan drugs en een ander had twee kinderen jonger dan vijf jaar. Ze sliepen allemaal in onze logeerkamer. Pierre en ik sliepen met Adana en Ning in onze kamer, en als de baby te erg huilde, probeerde Pierre in een bedje op de gang wat slaap te krijgen.

Het was zwaar, en Pierre begon er genoeg van te krijgen. Na een aaneenschakeling van slapeloze nachten ging hij op een dag door het lint en zei dat ik, als we geen betere oplossing konden vinden, de meisjes de deur uit moest zetten. Ik wist me geen raad en ging weer naar Robert toe. Hij sprak met John Anderson van Save the Children UK, en ze besloten ons een huis ter beschikking te stellen. Dat werd ons eerste centrum.

Het was een houten huisje op een minuscuul perceel in het noordwesten van Phnom Penh. Ik kon mijn geluk niet op. Eindelijk konden we de getraumatiseerde vrouwen en meisjes die zo hard aan opvang toe waren, ergens onderbrengen. Robert gaf ons zesduizend dollar uit het PADEK-fonds om aan de slag te kunnen.

We hadden iemand nodig om de boel te regelen, te koken en in het huis te wonen, zodat het goed georganiseerd verliep. We hadden geen geld om een salaris te betalen, en wie wilde er nou voor niks werken? Toen dacht ik aan mijn adoptiemoeder. Zij zorgde altijd voor andere mensen. Ik wist dat zij ook ooit in een bordeel had gezeten, ook al hadden we dat onderwerp nooit aangesneden. Ik wist dat ze nooit op de meisjes die wij onder onze hoede hadden zou neerkijken.

Ik ging naar Thlok Chhrov om er met haar over te praten. Toen ik mijn verhaal gedaan had, stonden de tranen haar in de ogen en begon ze zonder een woord te zeggen haar koffer te pakken. Vader stond er nogal van te kijken. Hij was niet van plan om naar Phnom Penh te verhuizen, maar vond het goed dat moeder met mij meeging om een tijdje in het nieuwe opvanghuis van AFESIP te gaan werken.

Ons opvanghuis was aanvankelijk ook niet meer dan dat: een huis, een toevluchtsoord. Het was een huis op palen met één kamer, en iedereen sliep bij elkaar op matjes op de kale vloer. Dietrichs vriend Guillaume had me tien naaimachines gegeven, maar daar was geen ruimte voor. We moesten ze onder het huis zo op de grond zetten, blootgesteld aan de regen.

De naaimachines waren essentieel. Mijn moeder kon de meisjes leren koken, maar ze hadden ook een vaardigheid nodig waarmee ze geld konden verdienen. Een ervaren kleermaakster die patronen kon tekenen en een jurk kon afpassen, kon echt geld verdienen – eerlijk geld – en met opgeheven hoofd door het leven gaan.

Maar ik kon me niet permitteren om een naailerares in dienst te nemen om de meisjes op te leiden. In Phnom Penh vroegen kleermakers inmiddels vierhonderd dollar per maand om één leerling op te leiden. Nadat ik er heel lang over had nagedacht vroeg ik Phanna of ze naailes wilde geven. Zij had altijd al goed kunnen naaien en had ook ervaring met lesgeven. Ze wist dat ik haar niet kon betalen, maar ze wilde toch graag terug naar Phnom Penh verhuizen, omdat ze had gehoord dat haar man met andere vrouwen rotzooide.

We namen ook een vrouw aan voor de boekhouding. Zij was de enige die betaald werd – een piepklein salarisje, ik geloof vijftig dollar per maand. We hadden genoeg geld om een paar maanden elektriciteit, eten en medicijnen te betalen. Medische verzorging vormde lange tijd de grootste kostenpost.

Op 8 maart 1997 – Wereldvrouwendag – hielden we een officiële openingsceremonie. Tegen die tijd boden we aan ongeveer twintig vrouwen onderdak. Ik was heel nerveus. Ik had mijn heldin voor de ceremonie uitgenodigd, maar wist niet zeker of ze zou komen. Men Sam An was hoofd van een overheidsorgaan, de Centrale Bestuurscommissie geheten, en van een aantal vrouwenorganisaties, en ze was een echte vechter. Tijdens de jaren van de Rode Khmer was ze geïndoctrineerd geworden en lid geweest van de milities, net als alle andere jonge mensen, maar ze was het bos in gevlucht en een guerrillastrijder geworden die tegen de Rode Khmer vocht. Later had de door Vietnam gesteunde regering haar tot lid van het kabinet benoemd. Als ik in Chup was zag ik wel eens foto's van haar in de krant: een kleine knappe vrouw met een glimlach, in militair tenue.

Men Sam An kwam naar de ceremonie, met een heel gevolg aan personeelsleden en bodyguards. Ze was heel eenvoudig en leek oprecht geïnteresseerd in ons werk. Ze zette haar naam in ons gastenboek. Toen het moment gekomen was waarop ik zou speechen, was ik zo overweldigd door emoties dat ik bijna geen woord wist uit te brengen. Mijn speech leek

148

echt nergens op. Maar ik was apetrots. Ik had twee dromen gehad: een opvanghuis voor vrouwen openen en Men Sam An ontmoeten. Ze waren allebei uitgekomen.

11

Beschermengelen

Ik deed nog steeds maatschappelijk werk in bordelen, waar ik condooms uitdeelde, informatie over gezondheid verstrekte en de meisjes naar het ziekenhuis bracht. Dat was op zichzelf nuttig werk, maar het fungeerde ook als een soort dekmantel, namelijk omdat ik zo meisjes kon aanmoedigen om te vluchten en in het geheim naar ons opvanghuis te komen.

Ik werkte ook samen met de politie. Als ik gehoord had over een meisje dat was verkocht of ontvoerd en ergens werd vastgehouden, bracht ik hen daarvan op de hoogte. Dan oefenden we druk uit op de politie om een inval in zo'n bordeel te doen en dan ging Pierre of ik, uit naam van AFESIP, mee als waarnemer. Op die manier kon de politie het meisje overdragen aan AFESIP, in plaats van haar in een politiecel te zetten.

Maar de hele procedure verliep vaak ontzettend moeizaam. De politie in Cambodja is heel anders dan die in het Westen. Veel politieagenten stonden, vooral in die tijd, onder invloed van de pooiers. Soms namen ze geld van hen aan in ruil voor bescherming en soms sloegen ze klanten die weigerden te betalen in elkaar. Sommige politieagenten waren zelfs eigenaar van een bordeel, en velen van hen waren vaste klant.

We kwamen zo nu en dan een politieagent tegen die deugde – iemand als Srena, die mededogen had met de kinderen die ontvoerd waren en misbruikt werden. Vaak waren deze mannen nog maar net bij de politie en hadden ze niet de macht om iets te veranderen, maar als er een familie op het bureau kwam om aangifte te doen dat hun dochter gestolen was, waarschuwden ze mij altijd. Dan trok ik mijn Khmer de France-kleren aan en ging ik naar het bureau om in naam van AFESIP een officiële klacht in te dienen, zoals een blanke zou doen. Soms bracht dat de zaak in beweging, want dan konden ze hem niet zomaar negeren.

Eind 1996 woonden er een stuk of tien vrouwen in het opvanghuis. We waren met iets van tien politie-invallen mee geweest en hadden meisjes gered die onder gruwelijke omstandigheden vastgeketend zaten en bewaakt werden. Het werd echter steeds moeilijker voor mij om als maatschappelijk werker de bordelen binnen te gaan, want de mensen herkenden me inmiddels. Ik werd ruw behandeld en bedreigd.

Ondertussen sloten zich goede mensen bij ons aan. Een vrouw die ik in Kratie had leren kennen, was onlangs naar Phnom Penh verhuisd om daar als tolk te gaan werken. Chang Meng was een zeer intelligente, barmhartige vrouw die veel had meegemaakt. We hadden het er zelden over, maar ik wist dat ze onder de Rode Khmer haar man en kinderen was kwijtgeraakt. Ik vroeg haar of ze als maatschappelijk werkster en onderzoekster samen met mij in de bordelen wilde komen werken. Ze werkt nog steeds bij AFESIP.

In 1997 hoorde een Franse journalist, Claude Sampère, over mijn werk. Hij was in Cambodja een documentaire aan het maken over landmijnen voor zijn programma *Envoyé Spécial*. Ik had in die tijd geen hoge pet op van journalisten; ik had dagenlang verslaggevers langs de bordelen in Phnom Penh gesleept en lange, pijnlijke gesprekken voor ze getolkt, om vervolgens tot de conclusie te moeten komen dat AFESIP nooit werd genoemd en alleen de meest saillante details de stukken haalden.

152

Maar Claude Sampère was anders. Samen met zijn team stond hij om zes uur 's ochtends op om ons op onze ronde te vergezellen. Toen hij de meisjes in ons kleine opvanghuis interviewde over hun leven, zag ik dat hij moest huilen. Zoiets had ik nog nooit meegemaakt.

Een van de meisjes die Sampère filmde, was Sokha. Ze was afkomstig uit een familie van vluchtelingen. Haar ouders hadden geprobeerd Cambodja te verlaten om elders een beter leven te krijgen, maar waren naar een vluchtelingenkamp in Thailand gestuurd dat onder leiding van de Rode Khmer stond. Toen ze terugkwamen in Cambodja, hadden ze helemaal niets meer. Toen Sokha's stiefvader haar verkrachtte en vervolgens aan een bordeel verkocht, waren ze bedelaars in Phnom Penh. Ze was toen negen jaar, en tegen de tijd dat we haar uit een bordeel redden, was ze twaalf. Het was voor haar heel moeilijk om aan een man te vertellen wat er allemaal met haar was gebeurd, maar Claude was heel zorgvuldig, heel respectvol.

Tom Dy was ook een meisje dat door Claude Sampère werd geïnterviewd. Ik had haar op een middag langs de weg gevonden, in een wijk ten zuiden van het Koninklijk Paleis. Ze was vuil, had klonten modder in haar haar en was griezelig mager. Ze was bekogeld met stenen. Haar hoofd bloedde, ze had sarcomen op haar huid van de aids – ze was meer dood dan levend. Ik dacht dat ze dertig of vijfendertig jaar was. Ik vroeg de chauffeur om te stoppen, nam haar in mijn armen en droeg haar naar de auto.

De chauffeur zei: 'Je bent gek. Ze is smerig, ze heeft luizen, aids – raak haar niet aan.' Hij walgde van haar geur. Maar ik nam haar mee naar ons opvanghuis en waste haar zelf. Ik wilde niet dat iemand anders voor haar zorgde. Ik bracht haar naar het ziekenhuis, maar daar keken de verpleegsters haar dreigend aan. Ze vertelde dat ze pas zeventien was.

Ik nam haar mee terug naar het opvanghuis en praatte met Pierre. Hij schakelde zijn contacten in om tuberculosemedicijnen en andere kostbare geneesmiddelen voor haar te krijgen. Elke ochtend waste ik Tom Dy en behandelde ik haar wonden met ontsmettingsmiddel. Ze vertelde dat ze al sinds haar negende prostituee was. Toen ze zo ziek was dat ze niet meer kon werken, hadden de pooiers haar op straat gezet en met stenen bekogeld. Door onze goede zorgen sterkte ze aan en werd ze de cheffin van het hele opvanghuis. Tom Dy was van nature een positief mens en ze werd onze steun en toeverlaat: ze kookte, maakte schoon, redderde over iedereen en zorgde voor de jongere meisjes als die niet wilden eten of somber waren.

Tom Dy vertelde aan Claude dat het haar droom was om bij AFESIP te werken, om andere meisjes te helpen. Maar ze wist dat dat niet kon. Ze wist dat ze aids had. Ik wist dat natuurlijk ook en ik wist dat dat betekende dat ze zou sterven, al wilde ik daar niet aan denken. Claude was erg aangeslagen door het gesprek.

Samen met zijn team ging hij met ons mee op een politie-inval. We zochten de dochter van mevrouw Ly, een Vietnamese vrouw. Omdat ze Vietnamees was wilde de politie haar niet helpen: de Khmer hebben een nog grotere hekel aan Vietnamezen dan aan Chinezen, en bovendien had ze geen geld. Mevrouw Ly vertelde ons dat haar dochter Loan uit het dorp waar ze woonden was weggegaan om serveerster te worden, maar dat ze inmiddels bang was dat ze verkocht was en in de prostitutie was beland. Ze had gehoord dat ze in Svay Pak werkte.

Aangezien de politie haar niet wilde helpen, kwam mevrouw Ly zelf naar Svay Pak toe. Ze liep over straat en zwaaide met een zwart-witfotootje van haar veertienjarige dochter. Een jonge man wees naar een van de bordelen. Ze klopte aan, maar de meebon stuurde haar weg.

Daarna kwam mevrouw Ly naar ons toe. We gingen naar de politie om toestemming voor de crew van Claude Sampère te vragen om in Svay Pak te filmen. Het was zaterdag, en dat was waarschijnlijk een vergissing, want de politie heeft nooit zin om op zaterdag te werken. Bovendien hadden ze op die manier alle tijd om de bordeeleigenaren te waarschuwen. Toen we er eindelijk in slaagden om toestemming te krijgen voor een inval op maandagavond, was er niemand meer in het bordeel. Geen meisjes, geen pooiers. Svay Pak was schoon.

Pierre en ik waren woedend op de politie en we dreigden dat we een persconferentie zouden houden waarin we hun bedrog aan het daglicht zouden brengen. Ze herstelden zich en arresteerden een van de bordeeleigenaren. Op de een of andere manier dwongen ze hem op te biechten waar de kleine Loan naartoe gebracht was. Maar toen we daar aankwamen, was het huis gesloten; de mensen waren gewaarschuwd. Hoe moesten we onder deze omstandigheden in godsnaam met de politie samenwerken?

Ook al was de deur op slot, we weigerden te vertrekken. Op een gegeven moment zagen we een paar meisjes uit een huis verderop in de straat komen, die de benen probeerden te nemen, en dat kon ook, want veel bordelen in Svay Pak zijn onderling door middel van tunnels met elkaar verbonden. Loan was een van hen. Ze was in shock. Toen ze haar moeder zag, moesten ze allebei huilen. Op het politiebureau deden we aangifte.

Voor ze weggingen, gaf Claudes team Loan en haar moeder wat geld, zodat ze terug konden naar Vietnam. Ze reisden onopvallend, zonder paspoort. Mevrouw Ly wist wel een plek waar ze de grens over konden glippen. Wij waren in die tijd nog niet goed op de hoogte van dit soort praktijken, en dit leek ons de beste manier.

Ik begon bedreigingen te krijgen. Dan belden er midden in de nacht mannen naar ons huis, die mij of mijn gezin bedreigden als ik niet thuis bleef. Ik ontving brieven met daarin: 'Ga weg uit Phnom Penh, of je gaat eraan.' Toen ik op een dag in de buurt rond de Centrale Markt was, kwam er een man op een grote zwarte motor (het soort dat wij 'hondenmotorfietsen' noemen) naast me rijden. Hij drukte een pistool tegen mijn zij en zei: 'Ga weg. Ik zal je niet doodschieten, maar iemand anders wel.'

Ik denk dat hij een huurmoordenaar was die de opdracht had gekregen mij uit de weg te ruimen, maar dat om de een of andere reden niet wilde. Misschien had ik zijn zus of een ander meisje dat hij kende geholpen. Dus waarschuwde hij me alleen.

Ik nam die waarschuwing serieus. Hij voelde anders dan de andere bedreigingen. Het koude metaal van het wapen tegen mijn huid had heel echt aangevoeld. Die avond deed ik de ramen en deuren op slot. Ik ijsbeerde elke avond door het huis, met gespitste oren of ik buiten een schutter hoorde. Ik was vooral bang voor mijn gezin – voor Ning en Adana. Ik wist niet wat die mensen met mijn twee kleine meisjes zouden doen. Ik raakte een beetje uit evenwicht.

Pierre zei dat het hoog tijd was om er even tussenuit te gaan. Hij nam de kinderen en mij mee naar Laos, waar hij vrienden had van wie we een huis konden lenen. Hij zei dat het maar voor een tijdje was, tot de rust was weergekeerd. In die tijd konden Cambodjanen niet zomaar reizen, want daar was een visum voor nodig, en dat was bijna niet te krijgen. Maar omdat ik met een Fransman getrouwd was, was ik Française en kon ik dus gemakkelijk een visum krijgen. Ik droeg het AFESIP-opvanghuis over aan mijn moeder, en zij kwam samen met mijn adoptievader naar het vliegveld om ons uit te zwaaien.

De avond voor ik vertrok schreef ik een brief aan de Cambodjaanse minister-president, Hun Sen. Ik had net zo goed een naald in een berg gedroogde rijststengels kunnen gooien, maar ik was boos en moest dat aan een gezagdrager vertellen. Ik schreef dat handelaren hadden gedreigd om mijn kindje als een kip te roosteren, en dat ik mijn land niet hoorde te ontvluchten omdat ik mijn leven niet zeker was, omdat ik de vrouwen die als slavin werden vastgehouden en verhandeld een beter leven wilde geven.

De eerste nacht in Laos droomde ik dat het huis van mijn adoptieouders in Thlok Chhrov in brand stond. Ik maakte Pierre wakker en zei: 'We moeten terug.' Hij was kwaad. Hij zei dat ik moest ophouden me als een oude Khmer-heks te gedragen. 'Probeer eens in de werkelijkheid te leven,' zei hij vinnig. Maar hij beloofde evengoed dat hij, als hij terug was in Cambodja, zou navragen of er iets gebeurd was.

Toen Pierre aankwam, stond mijn adoptiemoeder op het vliegveld. Hij zat meteen dat ze van slag was. Hij zei: 'Wat is er aan de hand? Is het huis afgebrand of zo?' Ze begon te huilen en zei: 'Hoe weet je dat?'

Op de avond dat ik uit Phnom Penh was vertrokken, was er iemand naar Thlok Chhrov gegaan en die had benzine uitgegoten rond het huis waar mijn adoptieouders woonden. Ik denk dat ze dachten dat ik, als ik niet in Phnom Penh was, daar mijn toevlucht had gezocht. Misschien had iemand mij met de auto van ons huis zien wegrijden, met de kinderen en met bagage, en gedacht dat we gevlucht waren.

Binnen tien minuten was er niets meer over van mijn ouders' huis en alles erin. Het was gemaakt van droge bladeren en bamboe. Omdat ze naar het vliegveld waren gegaan om me uit te zwaaien, waren mijn adoptieouders niet binnen geweest. Er was wel een oude man, die op het huis paste zolang mijn vader er niet was, aangezien er geen slot op zat. De buren hadden hem uit de vuurzee getrokken. Hij werd opgenomen in het ziekenhuis, maar is nooit helemaal hersteld.

Toen wist ik dat de bedreigingen echt waren. Maar ik kon niet met mijn werk ophouden. Ik liep gevaar, maar dat gold ook voor de duizenden meisjes in de bordelen. Ik zat veilig in Laos, maar zij niet.

Toen kreeg ik antwoord op mijn brief aan de minister-president. Een zwart meisje uit een heel klein dorpje had een brief geschreven aan de minister-president van het koninkrijk, en deze man had nog geantwoord ook. Hun Sen schreef dat de politie aan het onderzoeken was wie het huis van mijn ouders in brand had gestoken. Hij vroeg mij mijn werkzaamheden voort te zetten.

Ik was trots op deze erkenning. Veel Cambodjaanse ambtenaren mogen dan schrikbarend corrupt zijn, ik heb van bepaalde mensen in de regering van Cambodja ook veel steun voor mijn werk gekregen. Zonder hen hadden we niet kunnen doen wat wij gedaan hebben.

Ik besloot terug te gaan naar Phnom Penh. De vakantie in Laos had me goed gedaan. Ik was weer gekalmeerd. Ik beloofde mezelf plechtig dat ik in de toekomst voorzichtiger zou zijn en nam een chauffeur in dienst die vroeger politieagent was geweest, zodat hij ook als bodyguard dienst kon doen.

Toen het programma van Claude Sampère in 1998 werd uitgezonden, nodigde hij me uit om naar Frankrijk te komen, zodat ik op de televisie over mijn werk kon vertellen. Pierre en de kinderen gingen mee – de kleine Ning, die zevenenhalf was, en Adana. Voor we vertrokken zei Tom Dy dat ze niet wilde dat ik wegging. Ze klampte zich aan me vast en huilde: 'Ga niet. Als jij er niet bent ga ik dood, en ik wil niet zonder jou doodgaan,' smeekte ze.

Ik had niet de indruk dat ze erg ziek was; ze was juist weer wat aangesterkt. Ik zei dat ze helemaal niet doodging en dat we niet lang wegbleven. Ik beloofde haar dat ik een cadeautje voor haar zou kopen. Ze zei dat ze iets moois voor in haar haren wilde.

Maar op de dag voor ons vertrek werd Tom Dy in het ziekenhuis opgenomen. Ze had een soort snel verergerende infectie en hoge koorts. Toen ik haar naar het ziekenhuis bracht, vroeg ze of ik van haar hield. Ze huilde in mijn armen. Ze kuste me en smeekte me niet weg te gaan.

Tijdens het verblijf in Parijs dacht ik elke dag aan haar. Telefoneren was duur, dus ik had twee weken lang geen nieuws over haar. Op een middag bood Claude aan met me de stad in te gaan om iets voor Tom Dy te kopen. Toen we in een warenhuis waren, ging mijn telefoon: Tom Dy was dood. Ze was alleen gestorven, in het ziekenhuis.

Ik brulde en huilde. Dat lieve meisje, dat door haar ouders als prostituee was verkocht, dat jarenlang was geslagen en verkracht, was nu gestorven doordat ze door mensen zonder enig mededogen, zonder enige medemenselijkheid, die alleen maar aan zichzelf dachten, slecht was behandeld.

Er valt geen enkel excuus te bedenken voor de handel in seksslavinnen in Cambodja. Ik ben geen groot denker, maar volgens mij kun je zelfs Pol Pot niet als excuus aandragen.

Toen het programma van Claude was uitgezonden, stroomden de telefoontjes met felicitaties van alle kanten binnen. Maar ondanks de goede berichten begon de financiële situatie van AFESIP nijpend te worden. Claude nam me mee naar Emma Bonino, die toen de Europese commissaris voor humanitaire hulp was en die aan het hoofd stond van de gigantisch rijke hulporganisatie van de Europese Unie, de ECHO. Emma Bonino was een eersteklas politica en ze was die week toevallig in Parijs.

Toen we op haar kantoor in Parijs aankwamen, zat Emma Bonino in haar telefoon te schreeuwen: een blonde Italiaanse, klein van stuk, maar met een ongebreidelde energie. Ik deinsde achteruit, maar Claude zei: 'Wees maar niet bang. Zo is ze nu eenmaal: ze schreeuwt. Maar ze heeft haar hart op de goede plaats.'

Emma Bonino had al over ons werk gehoord. Ze praatte even met me en pleegde nog een paar telefoontjes in het Italiaans, terwijl ze ondertussen als een gek zat te kettingroken. Nadat ze tegen een of andere onderknuppel nog wat bevelen had geblaft, draaide ze zich weer naar me toe en legde haar arm om mijn schouder. 'Alles komt goed,' zei ze.

Ik was verbijsterd over de energie die er van deze kleine, glimlachende vrouw uitging, die in de telefoon kon schreeuwen, maar tegelijkertijd heel vriendelijk tegen me was. Ze is een rots.

Met dat ene bezoekje was onze strijd natuurlijk nog niet gestreden. We moesten naar Brussel om met de bureaucraten van de Europese Commissie te praten. Het was voor het eerst dat ik in Brussel was. Pierre was mee. We zagen eruit als sjofele vluchtelingen, zoals we met onze bagage door de regen zeulden. Ik had geen trui en had het koud. Ik had twee paar sokken in mijn goedkope schoenen aan, en mijn voeten bloedden.

De bureaucraten bekeken ons met nauwelijks verholen minachting: ik met mijn rare schoenen, Pierre met zijn scheve grijns, onze haveloze koffers in de hoek. We hadden blijkbaar niet de juiste afspraken. We werden van kantoor naar kantoor gejaagd. Eindelijk slaagden we erin een toezegging voor subsidie te bemachtigen van het Bureau voor Humanitaire en Noodhulp, de ECHO, maar na een jaar of twee ging de geldkraan dicht. We hebben nooit te horen gekregen waarom.

12

De prins van Asturië en het dorp Thlok Chhrov

Het eerste wat we deden toen er geld binnenkwam van de Europese Unie en van UNICEF was een nieuw opvanghuis bouwen, op ongeveer vijftien kilometer buiten Phnom Penh. Er sliepen onderhand meer dan dertig vrouwen en meisjes in één kamer, en het houten huis van AFESIP in Phnom Penh was veel te klein. Ze waren jong, bijna allemaal jonger dan tweeëntwintig, en sommigen waren nog kind. Ze hadden allemaal een heel ander opleidingsniveau – velen konden niet lezen of schrijven. Ze waren ook getraumatiseerd. Ze hadden nachtmerries en last van ontwenningsverschijnselen na hun drugsverslaving. Ze waren suïcidaal, depressief, spraken niet of hadden onbeheersbare woedeaanvallen.

In 1998 begonnen we met de bouw van een nieuw centrum, en dat wilden we naar Tom Dy vernoemen. Op een stuk grond dat AFESIP gekocht had, in de buurt van een dorp op ongeveer vijftien kilometer ten zuidwesten van de stad, wilden we een aantal gebouwen neerzetten. Ik wilde een grote overdekte ruimte voor de naailessen en een apart vertrek waar een onderwijzer fulltime aan kleine groepen les kon geven in schrijven, lezen en eenvoudig rekenen, afgestemd op het individuele niveau van de meisjes. We wilden een aantal ruime slaapkamers maken, allemaal met ruimte voor tien slaapmatjes voor vrouwen, en voor iedereen een eigen kastje voor persoonlijke spulletjes.

In juni 1998 kreeg ik, terwijl we het Tomdy Centrum aan het bouwen waren, de Prins van Asturië-prijs. Pierre nam de telefoon aan. Hij vertelde me dat de erfgenaam van de troon van Spanje mij had uitgekozen om een speciale prijs in ontvangst te nemen voor mijn inspanningen ten behoeve van humanitaire waarden. We hadden allebei nog nooit van die prijs gehoord en hadden geen idee hoe die mensen over ons hadden gehoord, maar we kwamen er al snel achter dat het een ontzettend prestigieuze onderscheiding is, en dat daar de bijna onvoorstelbare som geld van vijf miljoen peseta's bij hoorde, ongeveer veertigduizend dollar.

We gingen naar Spanje om de prijs in ontvangst te nemen, samen met Adana van vijf. Ning zat op school, en mijn adoptiemoeder zorgde tijdens onze afwezigheid voor haar. We reisden eersteklas, wat ik nog nooit eerder gedaan had. We werden als vorsten behandeld, ook al zagen we er net zo sjofel uit als anders. Toen we in Oviedo aankwamen, de hoofdstad van het Spaanse vorstendom Asturië, kregen we te horen dat ik die avond een speech moest houden. Ik had niets voorbereid en ben altijd als de dood geweest voor intellectuelen en goedgekleed publiek.

We werden onthaald in een chique ontvangstzaal, waar televisieploegen en fotografen stonden te wachten. De prins van Spanje stelde ons voor. De mooie Afrikaanse vrouw die vlak bij mij stond was Graça Machel, de vrouw van Nelson Mandela, een fantastische vrouw. Achter mij stond Rigoberta Menchú, die voor haar werk in Guatemala al de Nobelprijs voor de Vrede had gewonnen. Zelfs ik had over haar gehoord. Emma Bonino was er ook; ze zwaaide naar me en glimlachte me bemoedigend toe. Er waren zeven vrouwen die een onderscheiding zouden ontvangen voor hun inspanningen ten behoeve van de rechten van vrouwen en kinderen. Ik voelde me kleiner en kleiner worden.

Ik was zo zenuwachtig dat ik bijna niet begreep wat de prins zei, maar wat ik hoorde was heel ontroerend. Hij sprak over de onverschilligheid van westerse landen ten aanzien van de gruwelijke wreedheid van het leven in andere delen van de wereld, waar vrouwen en kinderen meedogenloos worden misbruikt. Toen ik aan de beurt was om het woord te nemen, deed ik mijn ogen dicht en begon ik gewoon over de situatie van vrouwen in Cambodja te praten.

Ik vertelde over mijn eigen leven en over de meisjes die als slavinnen in bordelen gevangen worden gehouden. Ik vertelde hoe vreselijk zij behandeld worden, over het geweld dat ze moeten verduren. Ik vertelde over de lieve glimlach van Cambodjaanse meisjes, en dat die glimlach niet oprecht is.

Ik wist helemaal niet dat ik zo lang voor een groot publiek kon spreken. Toen ik klaar was, klonk er een donderend applaus. Het licht ging langzaam aan en ik zag dat sommige mensen in het publiek huilden. Ik was doodmoe, maar ik had ook het gevoel dat ik iets belangrijks had bereikt.

De volgende dag was de prijsuitreiking. Ons was allemaal gevraagd om de traditionele kleding van ons vaderland te dragen, en op straat waren de mensen samengedromd om onze optocht te bekijken. De Asturiërs droegen ook klederdracht. Voor mij was het net de omgekeerde wereld. In mijn wereld ben ik niets, gewoon een vrouw die voor gevangengenomen, berooide meisjes werkt. Hier werd ik als een koningin behandeld. Ik voelde me net Assepoester, uit de Franse sprookjesboeken van Adana.

We liepen met z'n zevenen naar voren, hand in hand. Er klonk bulderend applaus. Toen moesten we de prins onze eer betonen. Hier was ik bang voor geweest. Ik dacht dat het betekende dat we zouden moeten knielen en ons hoofd naar de grond zouden moeten buigen, zoals Cambodjanen moeten doen om te laten zien dat we slechts stof onder de voeten van de gekroonde hoofden zijn.

Ik hou er niet van om te knielen. Ik ben geen slavin meer. Ik hoop dat ik mezelf nooit meer hoef te vernederen en nooit meer voor iemand op mijn knieën hoef te gaan – dat heb ik al te vaak gedaan.

Maar de prins kwam heel eenvoudig voor me staan en zei me gedag. Hij stak me zijn hand toe. Hij praatte heel gewoon tegen me; hij sprak Frans. In Cambodja heb je een speciale archaïsche taal waarmee de koning moet worden aangesproken, en buiten het koninklijk paleis wordt die taal door niemand gebezigd. Maar de prins van Spanje was vriendelijk en had zo te merken belangstelling voor me.

Toen werd ik voorgesteld aan zijn moeder, Koningin Sofia. Zij is een fantastische vrouw, doortastend en liefdevol, en ze zet zich echt enorm in voor de hulp aan vrouwen wereldwijd. Emma Bonino tolkte voor ons. De koningin tilde Adana op en speelde met haar. Ik voelde dat ze een vriendelijk en goed mens was, en ik mocht haar meteen graag.

De nonchalante charme van deze verbazingwekkende familie fascineerde me. Deze mensen waren de vorsten van een machtig land, en toch gedroegen ze zich alsof ik hun gelijke was. Ik had het gevoel dat ik vanuit mijn diepste wezen had gesproken. Ze wisten wat ik had gedaan en wat mij was aangedaan, en toch respecteerden ze me: een klein Phnong-meisje, een vieze prostituee.

Na afloop werd ons gevraagd handtekeningen te zetten, en er waren fotografen en een reusachtig banket met heel veel mensen. Mijn voeten bloedden door de schoenen met hoge hakken die ik voor deze gelegenheid had gekocht. Ik was niet gewend aan hoge hakken, dus stopte ik ze stiekem in mijn tas. De rest van de avond heb ik, helemaal bedwelmd en op blote voeten, handen geschud.

Door het hartelijke onthaal van de Spanjaarden realiseerde ik me voor het eerst dat we voor onze campagne echt steun hadden gekregen en dat we niet meer overal om geld hoefden te bedelen. Voorheen waren we, als we grote westerse sponsoren om geld hadden gevraagd, steevast met kille superioriteit bejegend. Het geld kwam druppelsgewijs binnen; nooit op het afgesproken moment en vaak minder dan we hadden verwacht. Maar toen ik uit Spanje terugkwam in Cambodja, had ik genoeg geld om echt iets belangrijks op poten te zetten. Maar bijna nog belangrijker was dat ik het gevoel had dat de mensen eindelijk begrepen waar we mee bezig waren en dat het heel belangrijk was dat ze ons hielpen. Ik had het gevoel dat we er niet meer alleen voor stonden. Tot op dat moment had ik alles in een spontane, intuïtieve opwelling gedaan, een beetje ongeorganiseerd. Nu had ik het gevoel dat AFESIP plannen voor de toekomst kon gaan maken.

Toen het Tomdy Centrum klaar was, was prioriteit nummer één voor mij dat ik een plek vond waar de kinderen die we hadden gered konden opgroeien. Sommige kinderen konden gewoonweg nooit terug naar hun familie; het risico was te groot dat ze dan wederom voor de prostitutie verkocht werden. Inmiddels boden we onderdak aan een aantal heel jonge kinderen die we uit bordelen hadden gered, van wie sommigen pas zeven of acht jaar waren. Deze meisjes hadden verschrikkelijke dingen meegemaakt en hadden zorg nodig. Ze hadden iemand nodig met wie ze konden praten en die ze konden vertrouwen. Ze moesten naar school en ze moesten weer mens worden. Ik wilde ze niet aan een weeshuis overdragen, want daar zouden ze afgewezen en bespot worden, of alleen maar te eten en te drinken krijgen.

Het leek me voor deze meisjes het best als ze ergens buiten Phnom Penh konden opgroeien. Het kwam wel voor dat de pooiers voor ons opvanghuis in Tuol Kok stonden en de meisjes bedreigden. Inmiddels was bekend geworden waar wij zaten, en het was er voortdurend een komen en gaan van nieuwe vrouwen die arriveerden en bewoners die vertrokken. Het was er niet rustig genoeg om op te groeien. Ik bedacht dat ik misschien wel wat grond in Thlok Chhrov kon kopen, in de buurt van het huis van mijn vader, en daar een centrum voor de kinderen kon bouwen. Ik was een paar keer bij mijn vader op bezoek geweest, en het dorp was groter geworden, welvarender ook. De school was ruim. Het bos was dichtbij. Er waren veel nieuwe mensen in Thlok Chhrov, en de oude waren ontzettend aardig voor me, nu ik met een blanke man getrouwd was en er in een auto vanuit de stad naartoe gereden kwam.

Ik wilde de dorpsbewoners laten zien dat je, zelfs als je prostituee bent geweest, zelfs als je een donkere huid hebt, nog steeds een goed mens kunt zijn. Je kunt slim zijn en je kunt succes hebben. Ze mochten mij dan slecht behandeld hebben, ik had uiteindelijk een goed leven voor mezelf weten te creëren. Ik hielp anderen, en dat konden zij ook doen.

Het belangrijkst van alles was wel dat het opvanghuis dat ik in Thlok Chhrov wilde bouwen zo ver van Phnom Penh af zou liggen dat de kinderen er veilig zouden zijn. Ze konden in een tuin opgroeien, eerlijk en sterk worden, en naar school gaan.

Met het geld van de Prins van Asturië-prijs kocht AFESIP een stuk grond vlak bij de dorpsschool in Thlok Chhrov. Het toeval wilde dat het stuk grond dat we kochten hetzelfde veld was waar ik toen ik in militaire training was, een granaat had gegooid en had geoefend met een geweer schoonmaken. Eromheen lagen rijstvelden en boomgaarden. We bouwden er een ruim huis op palen. Er waren een visvijver en een kippenren bij, en ruimte genoeg voor tien weefgetouwen en naaimachines, zodat de kinderen een vak konden leren. Ik wilde dat het er ook mooi uit zou zien, dus plantten we er bloemen. Een zaadje is net een klein meisje: het ziet er misschien klein en nietig uit, maar als je het goed behandelt, komt er iets moois uit.

Altijd als we in bordelen minderjarige meisjes aantroffen, vroegen we hun of ze hun familie weer wilden zien. Soms waren ze heel jong, maar ze verdienden het dat er naar hen geluisterd werd, en soms, als de ouders te vertrouwen waren, plaatsten we zo'n meisje ook weer terug in het gezin. We moeten zeker weten dat ze dan niet opnieuw verkocht wordt, dus we gaan daarna dan nog heel vaak bij ze langs. Soms is het al genoeg als je zo'n familie een beetje geld geeft, zodat ze een bedrijfje kunnen beginnen.

Maar heel vaak smeken de meisjes of ze bij ons mogen blijven, en dan neem ik ze mee naar Thlok Chhrov. Dan zien ze de meisjes van hun leeftijd – zeven, elf, dertien – in hun blauwe rokje met witte bloes, allemaal blij. Ze zien het eten – er wordt zelf gekookt en veel van deze meisjes hebben erge honger. Ze zien de dieren en de bloemen. Ze weten dat alle meisjes in ons huis hetzelfde hebben gedaan als zij, hetzelfde hebben meegemaakt als zij. Ze vragen mij: 'Als ik hier een week blijf en naar school probeer te gaan, krijg ik dan net zo'n schooluniform als de anderen?' Ja, zeg ik dan, en aan het eind van de week willen ze nooit meer weg. Ze mogen bij ons wonen, maar slechts tot ze volwassen zijn. Hoe moeilijk het ook is om afscheid te nemen van een kind dat je hebt grootgebracht – voor wie je in een bepaald opzicht haar enige familie bent – toch komt het moment dat ook zij weg moet.

Toen de kinderen in 1999 in het centrum trokken, juichte mijn hart. Ik had het gevoel dat ik eindelijk iets goeds gedaan had. Ze leven daar in een omgeving van liefde en begrip, en ze weten dat ze veilig zijn. We hebben nu vijfenvijftig kinderen, en we hebben het huis onlangs uitgebreid. De jongste is Ath, van dertien maanden. Strikt genomen hadden we hem niet moeten opnemen, maar iemand heeft hem toen hij nog maar een paar dagen oud was in de afvalbak voor ons centrum in Phnom Penh achtergelaten, en onze kokkin heeft hem geadopteerd.

Een van de meisjes die op dit moment in ons opvanghuis in Thlok Chhrov woont is Sry Mach. Ze was zes jaar toen AFE-SIP haar uit een bordeel redde, samen met haar zus, Sry Mouch, die negen was. Dat was begin 2006. De inval vond plaats in een stadje in de buurt van de grens met Thailand, en daarbij werden een stuk of tien meisjes gered, maar deze twee zusjes waren absoluut de jongste prostituees. We namen alle tien de meisjes mee naar Phnom Penh, maar deze twee nam ik zelf mee, op mijn schoot. Ze waren veel te bang om een woord uit te brengen. Ze gaven geen antwoord op mijn vragen en aten alleen als kleine wilden fruit, dat ik kocht toen we langs de weg even stopten. Ze hielden elkaar als diertjes vast. Ze deden me aan vogeltjes denken, met hun reusachtige ogen en hun mondje, dat ze alleen voor eten opendeden.

Zoals ik al eerder verteld heb, lopen jonge meisjes een groot risico om met hiv en andere ziektes besmet te worden, vanwege uitscheuren. Sry Mach heeft aids. Ze is heel ziek; ze heeft longontsteking en tbc gehad, en ze is al een paar keer in het ziekenhuis opgenomen geweest. Ze wil niet naar een speciale aids-opvanghuis, want dan moet ze bij ons weg, dus krijgt ze antiretrovirale medicijnen van Médecins Sans Frontières. Ze heeft me nooit veel verteld over wat ze heeft meegemaakt, alleen dat een blanke man haar pijn heeft gedaan. De psycholoog van AFESIP zegt dat Sry Mach haar trauma achter zich heeft gelaten en dat wij haar moeten helpen om het zo te houden, dus stellen we haar geen vragen. Haar zusje, Sry Mouch, is nu tien jaar en maakt het goed.

Een ander meisje van zes jaar dat we onlangs hebben gered, heet Moteta. We hebben Moteta gevonden nadat een andere prostituee, een van onze informanten – die we collega-opvoeders noemen – ons op haar had geattendeerd. Ze was bont en blauw geslagen en zat in een bordeel in Tuol Kok in een kooi. Ze was door haar moeder aan het bordeel verkocht en bijna onmiddellijk daarna was het bergafwaarts gegaan met de zaken van de meebon. De meebon haalde er een waarzegster bij en die beweerde dat Moteta een kwade geest had meegebracht. Om die te verjagen moesten ze haar pijn doen, moesten ze hem uit haar slaan. Ze hadden haar maagdelijkheid natuurlijk al verkocht, maar daarna stopten ze Moteta in een kooi en sloegen ze haar.

Zulke jonge kinderen stel je geen vragen. Moteta noemt mij 'grootmoeder' en ik zeg tegen haar: 'Niet bang zijn. Ik zal je beschermen.' Ik beloof haar dat nooit meer iemand haar pijn zal doen. Ze is er zo aan gewend dat ze voortdurend moet werken dat ze altijd probeert voor iedereen de kleren te wassen en het opvanghuis van het centrum in Thlok Chhrov schoon te maken. Ze heeft zo lang in het bordeel gezeten dat ze de meebon haar moeder noemde. Ze is nu anderhalf jaar bij ons; ze is nu zeven jaar.

Onze oudste bewoonster in Thlok Chhrov is Ma Li. Zij is negentien, maar ze is al bij ons sinds ze gered is, vier jaar geleden, en ze heeft nog niet het gevoel dat ze al bij ons weg kan. Ze heeft haar schooldiploma, maar ze wil blijven en weefles geven. Ze heeft nu de leiding over alle kleine meisjes.

Een AFESIP-kindercentrum in Thlok Chhrov beginnen is het beste wat ik ooit heb gedaan. De meeste meisjes die daar wonen zijn tussen de twaalf en vijftien jaar, en zijn ontzettend lief voor elkaar. De oudere meisjes noemen de jongere 'jonger zusje', en als er nieuwe meisjes binnenkomen, helpen ze hen waar ze maar kunnen. We hebben ook een verpleegster voor hen in dienst. Ze gaan in een keurig uniform naar de dorps-school. Ze kunnen met een psycholoog praten, maar sommi-ge meisjes willen helemaal niet praten. Weven is ook een vorm van therapie; het is een manier om je geest leeg te ma-ken en iets moois te creëren.

Het zijn lieve meisjes en ze zorgen voor de oude mensen in het dorp. Ze gedragen zich respectvol tegenover volwassenen en ze zijn altijd de beste van de klas. Aanvankelijk moesten de dorpsbewoners niets van hen weten om wat ze gedaan had-den, omdat ze vies waren. Ze zeiden 'hoer' tegen hen. Maar nu bewonderen ze hen en beschermen ze hen tegen vreemden. Tegen mij zeggen ze: 'Somaly, wat breng jij je meisjes mooi groot.'

Ik zeg tegen de kinderen dat ik van ze hou; ik zeg dat ze goe-de mensen zijn. Ik zeg: 'Het is aan jou om te laten zien dat je, wat er ook is gebeurd, nog steeds slim, goed en sterk bent.'

Ik ken de mensen die geld hebben betaald om deze kinderen pijn te doen. Ik ken de klanten. Soms zijn het toeristen, maar meestal zijn het Cambodjanen. Het zijn tuktukbestuurders, agenten, winkeliers – kortom gewone mannen. Het enige ver-schil in sociale klasse is de volgorde waarin ze de meisjes ge-bruiken. De rijkste mannen, de overheidsfunctionarissen en belangrijke zakenmensen, mogen als eerste. Aan het eind van de rit, als een meisje nog maar vijfduizend riel kost – iets meer dan één Amerikaanse dollar – zijn de armen aan de beurt. Ik weet niet wat erger is.

In mijn ogen zijn maar weinig mensen slechter dan de mannen die prostituees gebruiken. Ze betalen om vrouwen, tieners en kleine meisjes te mogen verkrachten. Ze gebruiken geweld: ze slaan, stompen en bijten, precies zoals in de porno-video's die overal te koop zijn. Het windt ze op om macht uit te oefenen en pijn te zien. Sommige klanten doen alsof ze denken dat ze het meisje op de een of andere manier een gunst bewijzen, maar in werkelijkheid gaat het om geweld en verkrachting. Ik heb er lang over nagedacht waarom mensen in Cambodja zich gerechtigd voelen om vrouwen en kinderen zo te behandelen.

Hoe word je iemand die zo achteloos met andere mensen omgaat? Cambodjanen zijn ernstig getraumatiseerd door de oorlogsjaren en de ellende, en daardoor zijn veel mensen volkomen egoïstisch geworden, met name in de grote steden. Als er op de weg een ongeluk gebeurt, stoppen ze niet om te helpen. De gedachte is dat iemand je, als je stopt, ervan kan beschuldigen dat je het ongeluk hebt veroorzaakt, en dat je dan moet betalen. En dat is nog waar ook; dat doen mensen.

In de ogen van mannen zijn vrouwen bedienden. Dat is in Cambodja altijd zo geweest. Meisjes worden alleen met schaamte en onwetendheid over hun lichaam grootgebracht, en mannen hebben hun eerste seksuele ervaring in bordelen. Verkrachting is het enige wat ze kennen.

Ik wilde proberen of ik deze mentaliteit kon veranderen. In 1999 wist Emma Bonino fondsen voor ons te werven om een campagne te beginnen om mannen op te voeden. We gingen naar het ministerie van Defensie om uit te leggen waarom dit van cruciaal belang was, en we kregen toestemming om op politiebureaus en in militaire kampen lezingen te geven. De eerste keer dat ik dat deed zei iedereen: 'Hè? Ga je met ze over seks praten? Durf je dat? Schaam je je daar niet voor?' Ik vond het beslist eng, maar ik had niet de indruk dat iemand anders het zou doen.

Ik nam meneer Chheng mee, een maatschappelijk werker van AFESIP. We begonnen met uit te leggen hoe je jezelf moest beschermen om geen aids op te lopen. Daar waren de mannen wel in geïnteresseerd, want de epidemie nam onderhand grote vormen aan, en ze waren bang. We legden alles uit, van a tot z. Met behulp van een banaan lieten we ze zelfs zien hoe je een condoom moest omdoen. Dat was het moment om de dingen bij hun naam te noemen, om ze aan het praten te krijgen. Door hun vragen te stellen belandden we bij de kwestie van hun relatie met hun vrouw.

Veel Cambodjaanse mannen zeggen dat ze naar een bordeel gaan omdat hun vrouw niet van seks houdt. Daar praten ze openlijk over. Cambodjaanse vrouwen hebben geleerd zich te onderwerpen, maar dat vrouwen genot kunnen beleven, is in onze cultuur een ongekend fenomeen. De mannen zeggen dat ze ervan walgen dat hun vrouw zo passief is. Niemand is gelukkig met deze situatie. De traditie wil dat de vrouw zich stilhoudt, dat ze niet beweegt, terwijl de man zijn gang gaat.

Eén man zei dat zijn vrouw hem daadwerkelijk had gezegd dat hij maar naar een prostituee moest gaan. Hij had haar nog nooit naakt gezien en zelfs nooit haar borsten gezien wanneer ze hun kinderen borstvoeding gaf. Als hij zijn kleren probeerde uit te trekken, zei ze: 'Als je net zulke dingen wilt doen als in die films, ga je maar naar de hoeren.' Hij barstte in lachen uit. 'O, die jonge Vietnamese meisjes, verse aanvoer – als die hun kleren uittrekken, wat een wonder! Ze zijn mollig, ze hebben een blanke huid, het zijn net biggetjes!'

In de lezingen van AFESIP werden deze onderwerpen heel gewoon en onomwonden aangesneden. We spraken over wederzijds genot, en over pijn. We lieten de mannen een video zien waarin een meisje vertelde dat ze verkracht was; wat er precies met haar was gebeurd en wie het had gedaan. Soms kwamen er een paar meisjes uit ons opvanghuis mee om te vertellen wat hun was aangedaan. De mannen in de zaal begonnen dan vaak te huilen. Velen van hen waren bij precies zulke prostituees geweest, maar op de een of andere manier was het nooit in ze opgekomen om eens na te denken over hoe de meisjes werden behandeld.

In de eerste maand kregen we vierhonderd brieven van mannen die een lezing van ons hadden bijgewoond. In de twee jaar dat we dit gedaan hebben, hebben we duizenden mannen bereikt, voornamelijk politieagenten en soldaten – mannen die nodig over dit soort dingen moesten gaan nadenken. We leerden ze hoe het er in de bordelen aan toe gaat. Het was ook een nuttige onderneming, want hierdoor hebben we een paar vrienden op politiebureaus gekregen, ook al waren dat voornamelijk jongere agenten.

Er waren ongelooflijk veel organisatie en energie voor nodig om het publiek zover te krijgen dat ze naar onze bijeenkomsten toe kwamen, om met ons educatieve team rond te reizen en de auto's op onze vreselijk slechte wegen te houden. En toen Emma Bonino in 2000 haar baan bij de Europese Unie opzegde, kregen wij ook geen geld meer van ECHO. We besloten op betere tijden te wachten en het programma dan weer op te starten.

In die tijd werden we plotseling overspoeld door een grote golf meisjes van twee reddingsoperaties. Bijna allemaal wilden ze in het opvanghuis blijven. Het was een slecht moment om krap bij kas te zitten. We riepen een vergadering bijeen van alle AFESIP-personeelsleden in Cambodja om te bedenken wat er nu gedaan moest worden. Uiteindelijk moesten we allemaal ons salaris en alles wat we overhadden na noodzakelijke uitgaven bij elkaar leggen om de meisjes te eten te kunnen geven.

De financiële problemen van AFESIP dienen zich altijd aan het eind van het jaar aan. Hoe groot het aantal meisjes ook is dat volgens onze voorspellingen bij ons zal komen, het zijn er altijd meer. Je kunt ze onmogelijk onderdak weigeren of ze het opvanghuis uit zetten. Al kreeg ik geld om vijfhonderd meisjes op te vangen, we hadden altijd meer nodig.

13

AFESIP

Het jaar 2000 was een moeilijke, verdrietige periode voor onze familie. Rond dezelfde tijd dat AFESIP de Europese steun voor onze educatieve campagne kwijtraakte, kreeg ik een miskraam. Ik voelde me vreselijk schuldig dat ik niet voorzichtiger was geweest en meer rust had genomen, zoals de artsen me hadden aangeraden. Verder werd Phanna door haar man in de steek gelaten. Hij ging ervandoor met een andere vrouw, en met al Phanna's spaargeld. Phanna werkte nog steeds als vrijwilligster bij ons, gaf zonder betaling naailes, maar ze had een parttime baan bij PADEK, waar ze ook naailes gaf.

AFESIP kreeg langzaam vorm, met horten en stoten; het is nooit een geplande ontwikkeling geweest. We groeiden naarmate de behoefte toenam. We begonnen met basislessen lezen en schrijven in het Khmer. We breidden onze lesprogramma's uit met koken, weven en kappen – vaardigheden die zich vlot naar een baan laten vertalen. We brachten al onze bewoonsters ook vaardigheden voor het kleinbedrijf bij, zoals boekhouden en een winkel runnen. Wat ze uiteindelijk ook zouden gaan doen, het was belangrijk dat ze hun eigen boekhouding konden verzorgen.

Mijn vader kwam steeds vaker naar ons centrum. Hij was naar Phnom Penh verhuisd om bij moeder te kunnen zijn. Ze was nog steeds de kokkin en huishoudster van ons opvanghuis, en vader bood aan om de meisjes te leren lezen en schrijven.

Ik vond het grappig om te horen hoe hij de meisjes de *chbap srey* onderwees. Dan riep hij ze samen in een kring in de schaduw van een boom. Na de les vertelde hij ze dat behoefte aan stilte en privacy de goede kanten van de oude code zijn. Maar dat die niet betekenen dat je jezelf niet mag verdedigen. Dat was namelijk wel toegestaan.

Vader sprak nooit rechtstreeks met de meisjes over prostitutie, maar hij zei wel tegen hen: 'Wat jullie uit ervaring geleerd hebben is meer waard dan goud. Als je een huis hebt kan dat afbranden. Je kunt elke vorm van bezit kwijtraken, maar jullie ervaring neemt niemand jullie ooit af. Koester die en zoek een manier waarop je hem kunt gebruiken.'

We kregen inmiddels geld van UNICEF, van de Nederlandse stichting SKN, van de Spaanse regering en van het bureau Manos Unidas. Ons Tomdy Centrum werd steeds groter. De seksindustrie in Cambodja werd steeds professioneler en probeerde een nieuwe markt aan te boren.

De tempels van Angkor vormden een toeristische trekpleister. Het hele jaar door huurden duizenden buitenlanders hotelkamers in de nabijgelegen stad Siem Reap. Er kwamen Japanners, Duitsers, Amerikanen, Australiërs – en sommigen wilden met jonge meisjes en kinderen naar bed. In bordelen in Siem Reap troffen we zo veel gevangengehouden meisjes aan dat we daar in 2001 ook een opvanghuis openden. Totdat wij ingrepen had de politie er nog nooit iets aan gedaan, doordat hun dat nooit verteld was.

Cambodjaanse prostituees hebben voornamelijk de plaatselijke bevolking als klant, maar ook buitenlanders. Het is een heel lucratieve branche, de handel in seks. De pooiers verdienen veel geld, vooral als het om een jong meisje gaat. In Siem

Reap verdient een gewoon meisje, dus geen maagd, met vijf dagen werken ongeveer vijftien dollar. Met vier meisjes verdien je dus bijna 360 dollar per maand, en ze kosten je alleen maar een beetje rijst en een paar wapens. Aangezien het jaarinkomen van meer dan een derde van de bevolking minder is dan 360 dollar, is het met dit soort opbrengsten wel duidelijk dat je iedereen kunt omkopen.

En dat gebeurt beslist niet alleen in Cambodja. Elke dag worden er nieuwe meisjes van Cambodja de Thaise grens overgebracht. Cambodja is een bestemmingsland, een overgangsgebied, een exportland; Cambodjaanse meisjes gaan naar Thailand, Vietnamese meisjes komen naar Cambodja. In deze industrie draait het om het product mensenvlees. Met valse paspoorten worden de meisjes naar Taiwan, Maleisië en Canada gestuurd. Maffiaorganisaties handelen over de hele wereld in vrouwen. Het is een gigantisch mondiaal bedrijf, net zo lucratief als drugs, en Zuidoost-Azië is een van de epicentra.

Toen ik in 2002 in Frankrijk was om een prijs van de stad Nantes in ontvangst te nemen, kreeg ik een telefoontje. Er was een groep gewapende politieagenten naar ons opvanghuis van AFESIP in Phnom Penh gekomen. We hadden onlangs na een inval in een bordeel veertien jonge Vietnamese meisjes opgenomen. De meisjes waren vanuit Vietnam naar Cambodja gebracht en hadden geen paspoort. De politie arresteerde de meisjes wegens 'illegale immigratie' en nam ze mee.

Wat er in werkelijkheid natuurlijk gebeurd was, was dat de pooiers een rechter heel veel geld hadden betaald om de meisjes terug te krijgen. Jonge Vietnamese meisjes zijn zeer gewild in Cambodja vanwege hun lichte, frisse huid. Tegen de tijd dat we een gerechtelijk bevel hadden om ze vrij te krijgen, waren de meeste meisjes alweer verdwenen. We hebben ze nooit meer teruggezien.

Als ik erbij was geweest, als ik een wapen had gedragen, weet ik niet wat ik gedaan zou hebben. Ik voelde een echte gewelddadigheid in mij. Nietige wezentjes als wij worden niet door de wet, politie, of rechtspraak beschermd. Als je sterk bent of als je machtige beschermers hebt, laten ze je met rust. Heb je die niet, dan kun je het schudden.

Toen dat gebeurd was, hebben we in Vietnam een AFESIP-kantoor geopend en zijn we onderhandelingen gaan voeren met de Vietnamese en Cambodjaanse autoriteiten om ervoor te zorgen dat deze meisjes weer veilig naar huis terug konden. We stelden voor dat de Cambodjaanse politie de meisjes zou overdragen aan AFESIP, in elk geval totdat de Vietnamese autoriteiten hun identiteit hadden weten vast te stellen. Bij ons zouden ze veilig zijn. We boden aan om de politie te helpen met de mensen op te sporen die het probleem in het leven geroepen hadden: de handelaren. We stelden ook voor dat AFESIP een opleidingscentrum in Vietnam zou beginnen, zoals het Tomdy Centrum in Phnom Penh.

De autoriteiten stemden in, en voor de Vietnamese meisjes die we vonden maakten we nieuwe, afzonderlijke afspraken. We huurden nog een huis, als tijdelijke opvang, waar zij konden blijven. Sommigen bleven maar drie maanden bij ons, in afwachting van hun documenten; anderen veel langer. We vroegen een Vietnamese vrouw uit Cambodja of ze hun wilde leren lezen en schrijven, en een Vietnamees sprekende ex-prostituee of ze gesprekken met de meisjes wilde voeren.*

---

* In september 2006 hebben we dat centrum wegens geldgebrek moeten sluiten.

We richtten ook een nieuwe organisatie op, AFESIP Vietnam, en we openden een opvanghuis in Ho Chi Minh-stad. Het werkt net zoals ons opvanghuis in Phnom Penh. Sommige meisjes kunnen nergens naartoe: ze zijn dakloos of hebben een gewelddadige familie. Vaak hebben ze een stiefvader die misbruik van hen probeert te maken; in bijna alle gevallen is er sprake van verstoting door hun familie of door de gemeenschap. Tegenwoordig zijn er handelaren in bijna elke provincie: mensen die commissie krijgen van de bordelen als ze een nieuw meisje brengen. Het is beter voor onze meisjes om een vak te leren en hier ver bij uit de buurt te blijven.

In 2001 raakte ik weer zwanger, en de dokter zei dat het een jongetje was. Ning en Adana waren in alle staten. Ning was tien en Adana zes, en allebei waren ze dolgelukkig dat ze een broertje kregen. Ik probeerde beter voor mezelf te zorgen. Ik probeerde minder over de hobbelige wegen tussen de provinciedorpjes te reizen en wat meer in Phnom Penh te blijven.

Nikolai werd in april 2002 geboren. De meisjes waren heel lief. Ze bleven die avond bij me in de ziekenhuiskamer in Bangkok, samen met hun nieuwe broertje, en elke keer wanneer hij huilde, holden ze naar zijn wiegje en zeiden: 'Stil maar, broertje', en dat de hele avond lang.

De werkwijze van AFESIP in Cambodja was inmiddels een stuk professioneler geworden. We hadden teams met maatschappelijk werksters, van wie velen vroeger zelf prostituee waren geweest, die elke dag de straat op gingen, condooms uitdeelden, meisjes vertelden hoe ze bij ons opvanghuis moesten komen en hun adviseerden hoe ze een dronken of gewelddadige klant rustig konden krijgen. Ze verzamelden ook informatie over de locatie van de bordelen. We lieten flyers met ons telefoonnummer erop drukken. We zetten een grote AFESIP-kliniek op, waar vrouwen zich gratis konden komen laten behandelen.

We boden de collega-opvoeders kleine geldbedragen aan. Dit zijn vaak gewezen prostituees die ons waarschuwen als een meisje heel ziek is of als er een minderjarig kind van het platteland in een bordeel arriveert. Tegenwoordig nemen de pooiers elke twee of drie maanden nieuw 'personeel', om klanten met iets aantrekkelijk nieuws te lokken. Vervolgens verkopen ze die meisjes weer aan bordelen op het platteland of in Thailand.

We namen een psycholoog in dienst om met de meisjes te praten, aangezien velen van hen depressief en suïcidaal waren. We stuurden 's avonds teams naar de parken en open ruimten waar de ergste vormen van prostitutie plaatsvinden. De 'sinaasappelvrouwen' zijn meisjes die in de openbare parken sinaasappels verkopen. Voor de prijs van een sinaasappel mag de klant het meisje ook betasten. Voor vijfentwintig cent mag hij seks met haar hebben. Vaak wordt zo'n sinaasappel-meisje door een hele groep mannen verkracht, en het is niet ongebruikelijk dat er 's ochtends een lijk wordt aangetroffen.

Deze prostituees hebben het geld niet om naar een dokter te gaan, maar ze hebben wel ons telefoonnummer. Ze bellen ons als ze ziek zijn en dan brengt onze tuktukbestuurder ze naar onze kliniek. Daar worden ze behandeld en blijven ze een week of twee om uit te rusten, als ze dat kunnen. In die tijd leggen we ze uit dat het wel degelijk mogelijk is om uit hun situatie te komen, dat ze nog iets van hun leven kunnen maken. Als ze dat inzien, kunnen ze weer wat hoop krijgen. Misschien zien ze dan in dat ze niet alleen zijn, dat wij kunnen helpen. Op een dag komen ze naar ons toe, maar tot het zover is helpen ze ons door ons op de hoogte te stellen van kinderen en jonge meisjes die tegen hun wil worden vastgehouden.

We kunnen niet elke prostituee in elk bordeel redden. We

proberen ons op de ergste gevallen te concentreren, op de gevangenen, op de kinderen. Als hier ons iets over ter ore komt, sturen we onderzoekers naar de betreffende buurt. Srena is een van onze fulltime onderzoekers, de jonge agent die ik heb leren kennen toen ik net weer in Phnom Penh was komen wonen. Ze doen zich voor als klant. Ze praten met de meisjes in de bordelen en nemen hun een verklaring af. Als de meisjes zeggen dat ze verkocht zijn, stellen we een dossier samen en dienen dat ter beoordeling in bij het departement dat over mensenhandel gaat, zodat men daar kan bepalen wat er gedaan moet worden en alle details kan verifiëren.

De plaatselijke politie wordt te hulp geroepen, maar we proberen tot de laatste minuut de precieze locatie van het bordeel verborgen te houden. AFESIP gaat meestal met de inval mee om de gang van zaken in de gaten te houden. We brengen de meisjes onder in een opvanghuis van AFESIP en ondertussen wordt er een zaak tegen het bordeel voorbereid.

Ik praat met elke vrouw die ons centrum binnen komt. Ik veroordeel haar niet, en dat weet ze. Ik ga naast haar zitten en leg uit dat wanneer je prostituee geweest bent, dat niet betekent dat je leven voorbij is. Ik praat over de vrouwen die voor ons werken en van wie velen vroeger ook prostituee zijn geweest. Ik laat deze meisjes mijn kleren zien en zeg: 'Jij kunt die ook leren maken.' Ik zeg: 'Vertrouw mij niet, want je moet geen mensen vertrouwen. Neem je eigen beslissingen.'

In 2003 openden we een AFESIP-modeatelier, en daar neem ik de vrouwen mee naartoe. Ze weten dat het er in kledingfabrieken in Cambodja vaak wreed aan toe gaat en dat het overvol is en er slecht wordt geventileerd. Veel vrouwen worden daar zo slecht behandeld en uitgebuit dat ze er soms zelf voor kiezen om dan maar liever prostituee te worden, hoewel ze zich aanvankelijk niet realiseren wat die keuze in-houdt. Ons AFESIP-modeatelier is heel anders. Het gaat er fatsoenlijk aan toe, alle werknemers worden netjes behandeld en zo'n meisje weet dat elke vrouw die daar werkt hetzelfde heeft meegemaakt als zij.

Ze begrijpt dan dat het mogelijk is om uit de prostitutie te gaan en een eerlijk leven te leiden. Bijna alle vrouwen die naar ons toe komen hebben wel een of andere ziekte. Soms zijn ze alleen uitgehongerd en beurs geslagen, maar als je jarenlang onafgebroken zonder bescherming tien of vijftien seksuele handelingen per dag hebt moeten verrichten, heb je ziektes opgelopen. Velen van hen hebben tbc of hiv, en meestal willen ze graag bij AFESIP blijven, al is het maar om een paar dagen uit te rusten.

Als ze weer weggaan, weten deze vrouwen dat ze terug kun-nen komen. Er staat een muur om ons opvanghuis in Phnom Penh heen, maar die is bedoeld om pooiers buiten te houden, niet om de meisjes binnen te houden. En als ze bij ons blijven, krijgen ze van ons een geheel nieuwe omgeving. In het Tomdy Centrum krijgt elke vrouw advies van een juridisch medewer-ker die bij ons in dienst is, en die legt haar ook uit wat haar rechten zijn. Deze vrouwen hebben daar meestal geen flauw idee van; in het dagelijks leven van Cambodja wijst immers niets erop dát ze rechten hebben. De juridisch medewerker dringt er bij hen op aan dat ze aangifte doen bij de politie. Dat kan een heel belangrijke stap zijn op weg naar een nieuw ge-voel van eigenwaarde. Deze meisjes moeten kunnen voelen dat ze niet slecht zijn, dat ze geen schuld hebben aan wat ze gedaan hebben.

Als ze willen praten is er een Khmer-psycholoog beschik-baar, en deze therapie kan hen helpen de last van hun onder-drukking van zich af te leggen. Maar praten is niet gemakke-lijk of normaal in Cambodja. De mensen zijn meestal erg gereserveerd, en de traditie schrijft voor dat je je mond houdt over je tegenspoed.

In 2003 openden we een AFESIP-kantoor in Thailand, waar de prostitutie en mensenhandel nog omvangrijker waren dan in Cambodja. We doorzochten de centra waar de Thaise autoriteiten illegale immigranten gevangenhouden. Veel meisjes uit Cambodja en Vietnam die daar zaten waren onder dwang de grens over gebracht om prostituee te worden. Het was in de centra niet veilig voor hen, en wij gingen aan de slag om ze te helpen terug naar huis te gaan. We namen ook deel aan reddingsoperaties in Thailand.

In 2006 openden we nog een kantoor in Laos, met in de Sisattanak-wijk een opvang- en opleidingscentrum. Een paar jaar geleden toonde een onderzoek van de International Labour Organization aan dat bijna een op de tien vrouwen en meisjes uit Sisattanak naar Thailand was gegaan. Een derde van hen was jonger dan vijfentwintig jaar. Deze meisjes vertrekken met een handelaar; vaak is dat een vrouw die zegt dat ze ergens in de huishouding gaan werken. Maar dan wordt hun lichaam te koop aangeboden in de grote bars met glazen etalage in Bangkok, waar toeristen van over de hele wereld een genummerd meisje uitkiezen, of ze werken voor de plaatselijke bevolking, in veel smerigere en gewelddadigere bordelen langs de kant van de weg.

In het opvanghuis van AFESIP in Laos krijgen de meisjes medische verzorging en een beroepsopleiding, zodat ze naar hun dorp kunnen terugkeren of zelf een nieuw leven kunnen beginnen. We leren de vrouwen moerbeibomen te verbouwen en zijde te produceren en op de markt te brengen. Er zijn zo veel meisjes dat we binnenkort in de provincie Savannakhet nog een opvanghuis nodig hebben. Uiteindelijk zullen we ook in Birma een opvanghuis moeten beginnen, hoewel het moeilijk is om daar toestemming van de autoriteiten te krijgen. We zien grote aantallen Birmese meisjes.

In Siem Reap heb je zelfs een bordeel met Koreaanse, Roemeense en vooral Moldavische vrouwen. De Aziatische clientèle betaalt grif voor dergelijke exotische meisjes. Het is een mondiale industrie, en om de een of andere reden sluit de wereld zijn ogen ervoor.

Het voordeel van dit netwerk van kantoren is dat AFESIP nu als bemiddelaar kan optreden tussen Vietnam, Laos, Cambodja, Thailand, Maleisië en Singapore, om ervoor te zorgen dat ze hun krachten bundelen om deze vrouwen te beschermen en ervoor te zorgen dat deze vrouwen terug naar huis kunnen. Maar het allerbelangrijkste is dat we de autoriteiten informatie kunnen verstrekken waarmee ze de strijd tegen de handelaren kunnen aanbinden.

Sinds we AFESIP in Cambodja hebben opgericht, hebben we inmiddels meer dan 5000 slachtoffers van prostitutie geholpen om weer een eigen leven te gaan leiden. In Thailand, Laos en Vietnam hebben we nog eens circa duizend vrouwen geholpen. Allemaal moeten ze op een gegeven moment terug naar het normale leven, en dan moeten ze over vaardigheden beschikken waarmee ze in hun eigen levensonderhoud kunnen voorzien.

Reïntegratie kan een langdurig proces zijn. Het duurt anderhalf jaar voordat een vrouw het officiële kappersdiploma kan halen. Als ze erg beschadigd is, kan het maanden duren voordat ze genoeg zelfvertrouwen heeft om zelfs maar aan de opleiding te kunnen beginnen. Sommige meisjes zijn na tien maanden zelfstandig. Anderen hebben een ingrijpender trauma opgelopen, en dan duurt het minimaal twee jaar.

Als de opleiding erop zit, zoeken we voor ieder meisje een baan in een veilige, humane omgeving, of we kopen de basisbenodigdheden voor haar, zodat ze zelfstandig kan leven: een naaimachine of een varken. We gaan ook nog regelmatig bij haar langs; de eerste drie maanden minimaal één keer per maand en daarna ook nog regelmatig, minstens drie jaar lang. Dat is de minimale periode waarin wij ons ervan willen vergewissen dat onze inspanningen succes hebben gehad.

Sommige meisjes zijn net familie. Ze nodigen ons uit voor hun bruiloft. Na tien jaar komen ze nog steeds elk jaar met hun kinderen bij ons op bezoek.

We kunnen dit alles alleen maar doen doordat regeringen en organisaties ons geld geven, maar we hebben de steun van sponsors ook op veel andere belangrijkere manieren nodig. Om die uit te leggen vragen we onze weldoeners altijd of ze bij AFESIP langs willen komen. Een paar jaar geleden kwam de minister van Buitenlandse Zaken van Spanje, de heer Cortés, met een regeringsdelegatie bij ons langs, en bracht een bezoek aan onze diverse locaties. Meneer Cortés luisterde via een tolk, terwijl een paar meisjes hun verhaal deden. Hij ging als een ander mens weg. Hij zei dat hij me al een paar keer in Spanje over mijn werk had horen vertellen en dat hij de rapporten had gelezen, maar dat wat hij rechtstreeks uit de mond van de slachtoffers had gehoord alle begrip te boven ging. Hij was overweldigd.

Soms kun je de sponsors maar moeilijk overhalen om langs te komen. Ze blijven in hun kantoren met airconditioning, schuiven wat met hun dossiers en hebben er gewoon geen tijd voor. Ik probeer hun te vertellen dat hun aanwezigheid en morele steun voor de meisjes net zo belangrijk zijn als hun financiële steun, want zij willen als volwaardige mensen gezien worden.

We krijgen veel steun van mensen van over de hele wereld en daar zijn we heel dankbaar voor. Maar we hebben wel eens de indruk dat geld geven voor sommige weldoeners een manier is om zich van het probleem te ontdoen: ze willen er niets meer over horen. Het spreekt voor zich dat we dit werk niet alleen kunnen doen. Het is te groot voor ons. We willen dat onze inspanningen deel uitmaken van een hele keten aan inspanningen, want het is niet genoeg om alleen voor een paar slachtoffers te zorgen: we willen dat er een einde komt aan de mensenhandel.

14
De slachtoffers

Sinds we AFESIP zijn begonnen, zijn de bordelen groter geworden en gaat het er gewelddadiger aan toe. We treffen vrouwen aan die aan rioolbuizen vastgeketend liggen. Meisjes die halfdood geslagen naar ons toe komen. Ze zijn ontzettend jong. We maken steeds vaker mee dat de meebons ze aan drugs verslaafd hebben gemaakt, zodat ze het niet in hun hoofd halen om te ontsnappen. Toen ik jong was, werden we met slangen en harde vuisten bang gemaakt, maar deze meisjes ondergaan een veel wredere vorm van marteling. Bij de littekens die zij hebben verbleekt alles wat ik heb meegemaakt.

Op een dag kwam er een meisje, ene Srey Mom, bij het opvanghuis in Phnom Penh aan. Ze bloedde en zag bont en blauw. Ik wist dat we haar naar het ziekenhuis moesten brengen, want ik was bang dat ze anders aan haar verwondingen zou overlijden, maar ze smeekte ons dat niet te doen; ze zei dat de pooiers haar daar zouden komen zoeken. 'Als ik dood moet gaan, laat het dan hier zijn,' smeekte ze ons.

We verzorgden haar. Toen ze opknapte, begon ze te praten. Ze was vijftien jaar. Ze was door een bekende pooier die voornamelijk voor de militaire politie werkt, verkocht aan een bordeel. Van deze man is bekend dat hij diverse meisjes heeft gedood. Srey Mom heeft daar vier maanden lang opgesloten gezeten, waarin ze onophoudelijk is geslagen en verkracht, en vastgeketend heeft gezeten.

Het huis, dat in Tuol Kok lag, was gebouwd op palen, boven een moeras, zoals zoveel Cambodjaanse huizen. Het riool kwam rechtstreeks in het water uit. Op een avond maakte Srey Mom een gat in haar vloer dat groot genoeg was om doorheen te kunnen en ze waadde door de waterige derrie. Ze ging naar de politie en vertelde daar alles. De politie schreef alles op wat ze zei. Ze stelden voor haar op een motor naar een opvanghuis te brengen. Daar stemde ze maar al te graag mee in. Vervolgens brachten ze haar terug naar het bordeel waaruit ze net was ontsnapt.

De pooiers ranselden haar af en ze wist zeker dat ze haar zouden doodmaken. Ze slaagde er nogmaals in te ontsnappen, via hetzelfde gat, dat aan het oog onttrokken was. 's Ochtends vroeg ze iemand de weg en kwam zo bij het opvanghuis van AFESIP, dat niet ver weg lag. Ze wilde niet uit ons huis weg omdat ze zeker wist dat de pooiers en hun vrienden bij de politie in het gebied patrouilleerden. Ze vertrouwde zelfs het ziekenhuis niet – ze wist dat iedereen haar voor een paar dollar zo weer kon verkopen.

Srey Mom zei dat er in haar bordeel nog een meisje vastgeketend zat. Ze vertelde dat er een ander meisje vastgebonden was geweest en was verbrand omdat ze klanten weigerde en had geprobeerd te ontsnappen. Srey wist zeker dat hetzelfde lot ook haar te wachten stond – een lot dat haar grootmoeder had bezegeld toen ze haar voor de prostitutie had verkocht.

Een tijdje geleden heb ik een moeder ontmoet die naar een bordeel ging om het geld op te halen dat haar dochter van tien jaar voor haar had verdiend. Toen ik haar hierop aansprak, verdedigde ze zich aldus: 'Ze is mijn dochter. Ik heb haar negen maanden gedragen. Ik heb haar onder helse pijnen ter wereld gebracht. Ik doe waar ik zin in heb. Ze is niet van u.'

'Ik heb ook een dochter ter wereld gebracht,' wierp ik tegen.

'Ik heb net zo goed barensnood meegemaakt. Maar als ik geen geld heb om mijn kind te eten te geven, ga ik zelf wel als prostituee werken, maar niet zij.'

'Nou, ik heb ook een man die me slaat. Zodra er geld in huis is, gaat hij drinken en dan slaat hij me in elkaar en verkracht hij me. Hij slaat de kinderen. En mijn dochter zit in het bordeel, zodat er dankzij haar een beetje geld is. Misschien ontmoet ze er wel een man die met haar wil trouwen.'

We hebben ook een keer met een man gesproken die zijn eigen dochter had verkracht, een kind nog maar. We vroegen hem waarom hij dat had gedaan.

'Haar moeder is mooi en alle mannen uit het dorp lopen achter haar aan. Dus om haar pijn te doen verkracht ik haar dochter, die ook mooi is.'

'Maar het is ook úw dochter!'

'Nee, ze is van haar moeder. Haar moeder was zwanger. Dit kind betekent niets voor me. Ik heb haar toch niet in mijn buik gedragen, of wel soms?'

Dat soort antwoorden krijgen we als we doorvragen.

Maar ik moet zeggen dat ouders vaak niet weten waar hun dochter werkt of wat ze precies doet. Sommige ouders denken echt dat de handelaren aan wie ze hun dochter verkopen in de grote stad huishoudelijk werk voor hen zullen zoeken. Maar de meesten weten wel dat hun kind de prostitutie in gaat. Om te voorkomen dat ze commissie moeten afdragen brengen ze hun dochter zelf naar het bordeel. Ze weten dat ze hun dochter introduceren in een prostitutienetwerk dat zich over heel Cambodja uitspreidt en dat de meisjes in Thailand, Laos, Singapore en zelfs in Canada terechtkomen. Maar toch doen deze ouders het. Ze denken alleen maar aan zichzelf.

Sokhon was het eerste kind bij AFESIP dat aan aids is gestorven. Haar ouders overleden toen ze zeven jaar was en haar oudere zus had haar verkocht om in Phnom Penh als hulpje in de huishouding te gaan werken. De vrouw sloeg haar en de man verkrachtte haar, en op een ochtend, toen ze een jaar of acht was, verliet ze het huis waar ze werkte en liep ze zo ver ze kon.

Sokhon belandde in de tuinen voor het Koninklijk Paleis, en daar raakte een motodupbestuurder met haar aan de praat. Hij zei dat hij haar zou helpen, bracht haar vervolgens naar een bordeel in Tuol Pak, waar ze werd verkocht, verkracht en gemarteld.

Toen ze bij ons kwam, was ze twaalf jaar. Ze had tbc en aids, en ze was dermate op sterven na dood dat haar pooier haar gewoon bij het ziekenhuis had gedumpt. Het ziekenhuis belde ons, want als ze haar gingen behandelen, moest er toch iemand voor de kosten opdraaien. Ze had alle mogelijke littekens op haar lichaam en was zo mager dat ze wel van touw gemaakt leek. Ze leek op mij en haar situatie voelde precies zoals de mijne ooit geweest was. Niemand durfde haar aan te raken, maar ik nam haar in mijn armen.

Ik denk dat iemand heel veel geld betaald heeft om seks met Sokhon te hebben, zodat hij verlost zou worden van zijn aidsbesmetting. De overtuiging dat je aids kunt uitbannen door seks te hebben met een maagd is een gruwel, verantwoordelijk voor onmetelijk, verschrikkelijk lijden.

Sokhon knapte een beetje op. Ze was dol op haar blauw-met-witte schooluniform, maar ze wist dat ze zou sterven. Dat greep me ontzettend aan, en ik bracht veel tijd met haar door. Ze vroeg me altijd of er een God was en waarom hij toestond dat een klein meisje dat nooit iets verkeerd had gedaan zulke dingen moest meemaken.

Het eerste wat ze me vroeg, was of ik haar broertje wilde zoeken en voor hem wilde zorgen – daar was ze nog het meest bezorgd om. We vonden hem en namen hem mee naar een boeddhistische pagode; toen heb ik een groep *bonzes* gevraagd of ze voor de jongere broertjes van onze meisjes wilden zorgen en hen in de tempel wilde grootbrengen, aangezien wij geen jongens in onze opvanghuizen kunnen onderbrengen.

Sokhon was erg van slag. Op een avond, toen ze al heel ziek was, vroeg ze of ik naast haar wilde komen slapen. Midden in de nacht – ik sliep nog – sneed ze met een mes in mijn voet. Ze zei dat ze ons bloed met elkaar wilde vermengen; ze wreef haar bloedende arm tegen me aan. Ze wist dat ze me hiermee in gevaar bracht, en ik denk dat ze het deed om niet alleen te staan in haar misère.

Kolap was zes jaar oud toen haar moeder haar verkocht. Toen ze bij het bordeel aankwamen, dacht Kolap dat ze daar alleen maar moest afwassen, maar ze smeekte haar moeder niettemin haar daar niet achter te laten. Ze sloeg haar armen om de hals van haar moeder, maar haar moeder gaf haar een klap in het gezicht en duwde haar weg. Toen Kolap haar bij de enkels vastgreep, schopte haar moeder naar haar. Ze vertrok met vijftig dollar, en daarmee was Kolaps maagdelijkheid verkocht.

Ze boenden haar en smeerden haar in met een licht makende crème, zodat ze een aantrekkelijkere kleur kreeg. Toen ze zich verzette, sloegen ze haar dagen achtereen. Na haar eerste week naaiden ze haar weer dicht, zonder verdoving, en verkochten ze haar door aan een ander bordeel. Ze ging van het ene bordeel naar het andere, tot ze tien jaar was, en toen hebben we haar kunnen redden. Haar leven was in dat jaar een ware reis door de hel.

Ongeveer een jaar nadat Kolap bij ons kwam, vroeg ze of ik met haar naar haar moeder in Kandal wilde gaan. Tot dan toe had ze het contact altijd geweigerd. Ik nam haar mee naar haar geboortedorp om haar moeder te zoeken. Geloof het of niet, de vrouw begon te huilen toen ze haar zag.

Kolap zei: 'Niet huilen. Ik kom u vragen waarom u mij hebt verkocht. Waarom hebt u me geslagen toen ik u kuste? Waarom hebt u me geschopt toen ik me aan u probeerde vast te klampen? U had vijftig dollar in uw hand.'

'Ik heb je niet verkocht,' stamelde de vrouw. 'Ik wist niet dat het een bordeel was.'

'Hoe kúnt u dat zeggen?'

'We hadden niets te eten.'

'U liegt. U bent er tot op heden anders prima in geslaagd om rond te komen.'

Kolaps broertje kwam tussenbeide om te zeggen dat hij bang was dat ze hun jongere zusje ook zouden verkopen, alleen was het kind gehandicapt en wilde niemand haar hebben.

'U bent niet veranderd. Maar u bent mijn moeder niet meer. Dit is mijn moeder,' zei Kolap, en ze wees naar mij. 'Ze heeft me niet ter wereld gebracht, maar voor de rest heb ik alles aan haar te danken.'

We vertrokken. Kolap wilde geen minuut langer in dat vreselijke huis blijven. Ze was nog zo jong en had het lichaam van een kind, maar haar geest ging gebukt onder het verdriet van een volwassene.

Kolap is nu veertien en ze woont in ons kindercentrum in Thlok Chhrov. Ze is lang en een van de besten van haar klas. Ze heeft nooit meer met een woord over haar moeder gerept. Ze zegt alleen dat ze, zodra ze bij ons weggaat, haar broertje en zusje gaat halen om bij haar te komen wonen, en dat ze ervoor zal zorgen dat ze allebei naar school gaan.

Soms dagen ouders ons wel voor het gerecht om hun dochter terug te krijgen, met het oogmerk haar weer te verkopen. Daar valt geld mee te verdienen. Maar wij staan juridisch sterk in onze schoenen; onze statuten geven ons toestemming om dergelijke kinderen onderdak te bieden en hen te vertegenwoordigen. Een moeder die haar dochter verkoopt, diskwalificeert zichzelf daarmee als voogd.

Van tijd tot tijd word ik door alles wat ik om me heen zie overmand door woede. Onlangs hadden we nog een jong meisje, Kaseng gehcten. Haar ouders waren een avond weg, zij dwaalde over straat en werd gevangengenomen door een groep van zes of zeven dronken mannen van in de vijftig. Ze was acht jaar. Ze namen haar mee naar een huis en verkrachtten haar om de beurt. Aangezien ze te nauw was, pakten ze een mes en sneden haar vagina verder open. Iemand heeft haar naar ons toe gebracht. Ik ben met het kind naar het ziekenhuis gegaan om haar te laten hechten en vervolgens naar de politie om aangifte te doen. Ze knapte op. Haar moeder, die heel arm was, zei dat het kind al sinds haar geboorte alleen maar ongeluk had gebracht, en ze weigerde haar terug te nemen.

Toen het proces tegen de verkrachters van Kaseng diende, is er een medewerker van AFESIP naartoe gegaan als waarnemer van de rechtsgang. De verkrachters hadden de rechter omgekocht. Ze beweerden dat ze uitdagend gekleed was en dat ze haar hadden betaald. Hoe dan ook, ze was jong en had nog alle tijd om hier overheen te komen, zeiden ze. De rechter bepaalde dat mannen van zo'n eerbiedwaardige leeftijd niet naar de gevangenis konden, en ze verlieten lachend de rechtszaal.

Dit kind is in alle opzichten slachtoffer: van de mannen, van de rechtbank, van haar familie. We hadden hoger beroep kunnen aantekenen, maar dat wilde ze niet. Ze smeekte mij het niet te doen. 'Ik wil ze nooit meer zien en ik wil ook nooit meer horen wat ze over me te zeggen hebben,' zei ze. 'Ik wil nooit meer naar de rechtbank.'

Verblind van woede trok ik van leer en ik vertelde alles aan een naaste adviseur van de premier – een man die me in andere omstandigheden al eens had geholpen. Ik vroeg of hij me kon vertellen hoe een dergelijke rechterlijke dwaling mogelijk was in een land dat beschaafd beweert te zijn. Hoe kunnen we toestaan dat ons rechtssysteem zo door georganiseerde misdaad en doodgewone omkoperij gecorrumpeerd wordt dat zo'n laaghartige misdaad ongestraft blijft?

Mijn vriend verdiepte zich in de zaak en droeg hem weer over aan de rechtbank. We moeten nog steeds te horen krijgen of het kind voor een of andere vorm van compensatie in aanmerking komt. Maar zo gaat het niet bij elke zaak; ik kan niet elke keer wanneer we een rechtszaak verliezen iemand op een hoge post bellen, want soms gebeurt dat wel een paar keer per maand.

Zelfs als we een schandaal veroorzaken kunnen de politieke autoriteiten alleen maar proberen het justitiële apparaat in beweging te krijgen. Vervolgens stagneert de boel en gebeurt er niets meer. Het resultaat stemt zelden tot tevredenheid. We hebben wetten in Cambodja, maar die worden door iedereen genegeerd. De wet van het geld is oppermachtig. Met geld kun je een rechter of een politieagent omkopen – wie je maar wilt. Er zijn wel eens momenten waarop ik de handdoek in de ring wil gooien en ermee wil ophouden. Het gevecht is te groot voor mij: de pooiers, de corruptie, de rechters die niet om te kopen zijn omdat dat al lang geleden is gebeurd.

Corruptie is het gangreen in het hart van het Cambodjaanse juridische systeem. Het gebeurt maar al te vaak dat de rechtspraak met geld is te beïnvloeden. In het begin kwam het wel voor dat, wanneer AFESIP erin slaagde om druk uit te oefenen op de politie om een inval bij een bordeel te doen, de pooiers vaak binnen een paar dagen al vrij waren.

Sinds AFESIP is opgericht, hebben we ongeveer tweeduizend rechtszaken aangespannen. We hebben slechts vijf procent hiervan gewonnen en de meeste gewonnen zaken zijn van recente datum. We kennen nu een beetje de weg in het systeem en ik denk dat de rechters tegenwoordig ook meer op hun tellen passen: ze weten dat AFESIP niet snel opgeeft. Toch komt het nog maar zelden voor dat een misdadiger langer dan een halfjaar in de gevangenis zit, en de meesten worden al na een paar dagen politiecel vrijgelaten.

Misschien was het vóór Pol Pot in Cambodja anders. Tot op de dag van vandaag zijn er op het platteland wel goede mensen te vinden – dorpelingen die voor elkaar zorgen en altijd bereid zijn een maaltijd met een vreemde te delen. Maar ik ben geboren ná de grote ontwrichtingen die mijn land verscheurd hebben, en vanaf het moment dat ik mijn ogen opendeed heb ik alleen maar geweld en corruptie gezien. Waar zijn de zogenaamd bewonderenswaardige tradities van de Khmer gebleven? Waar is hun boeddhistische morele besef gebleven?

Ik ben boeddhist – een gewone boeddhist. Ik ga soms naar de tempel. Ik geef rijst aan de dorpstempel in Thlok Chhrov, om de oude mensen te eten te geven. Maar de mannen die meisjes martelen gaan ook naar de tempel. Zijn dat boeddhisten?

Op een dag legde ik deze vraag voor aan de priester die aan het hoofd staat van de tempel waar ik kom. Hij zei: 'Somaly, na dertig jaar oorlog zijn er zelfs monniken die naar bordelen gaan en kinderen verkrachten. En er zijn ook monniken die goed zijn en niet weten waarom ze goed zijn.'

Ik ben nu tien jaar bezig met de opbouw van AFESIP en dat zijn tien jaren vol pijn geweest. Ik kan geen afstand nemen van het lijden van deze meisjes. We dragen dezelfde verwondingen. Ik deel hun lijden, de gruwelen die ze hebben meegemaakt. Het kost me moeite om niet alle mannen de schuld te geven van de daden van een enkeling.

In de jaren waarin we aan de opbouw van AFESIP werkten, heeft Pierre veel te verduren gehad. Ons huwelijk heeft erg onder druk gestaan, en zelfs de geboorte van onze lieve Nikolai heeft ons niet nader tot elkaar kunnen brengen. In 2004 zijn we uit elkaar gegaan, en inmiddels zijn we gescheiden.

In 2004 begonnen er bij AFESIP berichten binnen te komen over een hotel, het Chai Hour 11. Dit was een van de grootste nieuwe bordelen in Phnom Penh: een supermarkt voor vrouwenvlees van zes verdiepingen, waar de klanten de meisjes achter een etalageruit konden uitkiezen en hun nummer konden noteren, waarna ze linea recta in hun hotelkamer werden afgeleverd. Onze onderzoekers spraken met meisjes die daar werkten, en ze zeiden dat ze gedwongen in de prostitutie terecht waren gekomen. Van de ruwweg tweehonderd meisjes die als 'gastvrouw' en 'karaokezangeres' in het hotel werkten, waren velen minderjarig. Er waren ook maagden te koop.

Om deze meisjes vrij te krijgen zat er voor ons niets anders op dan naar de politie te gaan, ook al wisten we dat dit niet per se hoefde te betekenen dat de schuldigen ook gestraft werden.

Het Chai Hour 11 was een grote onderneming – verreweg het grootste bordeel dat we ooit aangepakt hadden. We wisten dat het door rijke, machtige handelaren werd gerund en we realiseerden ons dat die vermoedelijke nauwe banden onderhielden met politie- en overheidsfunctionarissen.

Ons dossier over het hotel lag in september bij de autoriteiten. Begin december stemde de politie ermee in een inval te doen. Een onderzoeksmagistraat had de leiding gekregen. Zodra alles in kannen en kruiken was, moesten we snel tot actie overgaan, aangezien we erop konden wachten dat er gelekt werd.

De inval vond plaats op 7 december 2004, 's middags. Sommige mensen van het hotel wisten te vluchten, maar acht pooiers werden in hechtenis genomen, plus drieëntachtig vrouwen en meisjes. Er waren niet genoeg politiecellen om de meisjes onder te brengen, van wie velen minderjarig waren. Zoals gewoonlijk stemde AFESIP ermee in ze die avond mee naar ons opvanghuis te nemen, zodat hun niets kon overkomen terwijl ze wachtten tot ze door de politie ondervraagd zouden worden, want een aantal meisjes had te kennen gegeven dat ze aangifte wilden doen tegen de pooiers.

Voor ik die avond wegging, sprak ik met alle meisjes. Sommigen zeiden dat ze weer aan het werk wilden. Een of twee van hen waren de maîtresse van een hooggeplaatste man. Voor mannen in een hoge positie is het bijna verplicht om er een jonge maagd of minderjarig meisje in een luxueus bordeel op na te houden – dat is een statussymbool. (Meestal hebben ze ook een vrouw en een 'officiële' maîtresse met een eigen appartement.) Deze meisjes hadden allemaal een dure mobiele telefoon, die ze gebruikten om hun beschermer op te bellen en hun woede te luchten. Ik legde hun uit dat AFESIP geen vrouwen tegen hun wil vasthoudt, maar dat ze op last van de politie bij ons moesten blijven. De politie had ze een paar dagen nodig om ze te kunnen ondervragen, maar daarna mochten ze weg.

De meeste meisjes waren in shock. Diverse meisjes lieten striemen zien van de slaag die ze gehad hadden. Vooral de allerjongsten konden maar niet begrijpen dat ze nu veilig waren en dat ze bij ons konden blijven als ze dat wilden en dat ze dan naar school konden.

Toen ik die avond bij het opvanghuis van AFESIP wegging, stond er een grote, zwarte Lexus voor de deur geparkeerd. Twee mannen – twee pooiers – zeiden dat ze naar binnen wilden. We weigerden hun de toegang. Volgens onze regels is het voor handelaren verboden het terrein te betreden – dat is ook de reden waarom het centrum in Phnom Penh zo'n hoge muur en stevige poort heeft.

De volgende ochtend begonnen de telefoontjes. Ik werd gebeld door vrienden op hoge posten, die me zeiden dat ik voorzichtig moest zijn. 'Somaly, je hebt hier met belangrijke mensen te maken. Je krijgt problemen.' De assistente van iemand die samen met ons bij de afdeling ter bestrijding van mensenhandel van het ministerie van Binnenlandse Zaken werkte, belde me in tranen op om te zeggen dat haar baas op het hoofdbureau van politie zat en dat hij ontslagen werd.

Ik belde nog iemand die ik kende, en die zei dat hij gehoord had dat de acht pooiers allemaal vrijgelaten waren. Ook hij waarschuwde me dat ik voorzichtig moest zijn. Hij zei: 'Hou je erbuiten, dit is te groot voor jou.' Hij zei dat ik alle vrouwen uit het Chai Hour II moest vrijlaten.

Toen werd ik gebeld door een vrouw die in het AFESIP-opvanghuis werkte, die zei dat zich een hele menigte mannen voor de poort had verzameld. Ze zei dat sommigen een uniform droegen, zowel militair als van de politie, en ze vroeg wat ze moesten doen.

Om tien over halftwaalf werd ik eindelijk teruggebeld door mijn contact op het ministerie van Binnenlandse Zaken. Hij zei: 'Laat de meisjes vrij. Je leven staat op het spel. Dit gaat onze macht te boven.' Rond het middaguur, terwijl ik nog steeds aan de telefoon zat, braken een stuk of dertig gewapende mannen door de poorten. De meisjes en het personeel van AFESIP die binnen waren, waren doodsbang. Onder de aanvallers herkenden ze de acht mannen die net uit de gevangenis waren vrijgelaten. Hun leider sloeg het personeel en dreigde hen te doden. De mannen dwongen alle meisjes die ze konden vinden in auto's en op motoren te stappen die buiten klaarstonden.

Ze namen in totaal eenennegentig meisjes mee, van wie

sommigen pas een paar weken bij ons waren en net weer een
beetje begonnen te glimlachen en er vertrouwen in begonnen
te krijgen dat ze bij ons veilig waren. We hebben er nooit meer
iemand van teruggezien.

Eén meisje had zich de hele tijd in de badkamer verstopt.
Ze was dertien jaar en pas de week ervoor bij ons gekomen. Ze
durfde net te gaan geloven dat ze bij ons echt veilig was. Toen
ik bij het opvanghuis aankwam en haar in mijn armen nam,
kon ze niet ophouden met snikken en beven.

Ik was kwaad, echt vreselijk kwaad. Wat kun je doen als de
maffia die de vrouwenhandel runt zo rijk wordt dat hij nog
machtiger is dan de wet?

Ik belde Pierre, die in Laos zat. Hij belde de Franse ambassade. Toen belde een medewerker van het opvanghuis. Ze zei
dat ze een groep jongens op de markt had horen zeggen dat ze
granaten in het centrum zouden gooien en het personeel een
voor een zouden vermoorden. Ik riep een vergadering bijeen
en zei tegen iedereen dat we onze bezigheden tijdelijk moesten staken. Ik gaf iedereen vrij. Ik probeerde de kalmte te bewaren, maar ik was zelf ook bang.

Ik ben geen intellectueel. Ik heb geen specifieke kennis. Ik
kan niet goed spreken en heb nooit een echte opleiding gevolgd. Maar soms is het mijn taak om kalm te blijven, voor
iedereen een antwoord klaar te hebben, mensen kracht te geven en te helpen zichzelf te overwinnen. Ik leef bij de dag, bij
het uur, bij de minuut. Ik weet niet wat er met me gebeurt als
ik deze kamer uit loop. Dat weet niemand.

De volgende dag, 9 december, verschenen er berichten in de
lokale kranten: de meisjes uit het Chai Hour 11 zouden de
poort van AFESIP hebben platgelopen in een poging te ontsnappen, omdat AFESIP hen tegen hun wil vasthield. In die
berichten stond ook dat alle meisjes ouder dan achttien wa-

ren. Ik kreeg talloze telefoontjes van invloedrijke mensen uit de regering en van de politie die zeiden dat ik me beter niet met andermans zaken kon bemoeien. Vrienden waarschuwden me dat ik het er niet levend vanaf zou brengen als ik dit op een confrontatie liet uitlopen en opperden dat ik beter een tijdje het land uit kon gaan, en wel zo snel mogelijk.

De hoofdcommandant van politie vaardigde een communiqué uit waarin hij ons ervan beschuldigde dat we de vrouwen hadden ontvoerd en dat we werkende mensen in hun vrijheid belemmerden. Deze verklaring stond bol van de leugens en het venijn. Journalisten van plaatselijke kranten schreven dat het Chai Hour 11 een gewoon hotel was waar je massages kon krijgen en dat over een karaokebar beschikte, en dat alle meisjes bereid waren te verklaren dat ze geen prostituee waren.

Pierre kwam met het vliegtuig uit Laos terug naar Cambodja, maar onderweg organiseerde hij in Bangkok een persconferentie in een poging van de internationale pers steun voor ons te krijgen.

De volgende dag werden mijn kinderen door motoren gevolgd toen ze van school naar huis liepen. Ik wist dat ik naar Kampong Cham moest om te kijken hoe het met de kinderen in Thlok Chhrov was. Het personeel dat daar werkte was doodsbang dat zij ook aangevallen zouden worden, en de kinderen waren in paniek.

We vertrokken om vier uur in de ochtend, maar toch werden we nog door een auto gevolgd. Gelukkig waren ze niet erg slim en wisten we ze voor we in Thlok Chhrov aankwamen van ons af te schudden. Ik probeerde de meisjes daar te kalmeren. Ik zei dat hun niets zou overkomen en dat we advocaten hadden. Ik probeerde helder na te denken, maar ik was ook bang. Ik wilde de raad van mijn vrienden om het land uit te gaan niet opvolgen – ik kon toch niet zomaar opstaan en al die meisjes en personeelsleden van AFESIP in de steek laten?

Maar de druk bleek ook uit onverwachte hoek opgevoerd te worden. Ik kreeg bezoek van functionarissen van de Amerikaanse ambassade; ze wilden weten wat er gaande was en kwamen zelf een kijkje nemen. We kregen telefoontjes van mensen van de VN. Ik werd uitgenodigd op de Franse ambassade om met de ambassadeur te spreken. Er begonnen journalisten te bellen.

In het tijdsbestek van een paar dagen keerde het tij. In Europa verschenen krantenberichten over deze zaak, en we hoorden dat diplomaten van de Europese Unie en de Amerikaanse regering Cambodja met economische sancties dreigden als er niet meer werd gedaan om de handel in seksslavinnen en de corruptie binnen de regering tegen te gaan. Het Chai Hour II was nu een symbool van een belangrijke zaak.

De Engelstalige *Cambodia Daily* leidde een onderzoek om erachter te komen wie de poorten van het opvanghuis van AFESIP hadden geforceerd. Buren verklaarden dat de handelaren zelf de aanval hadden geleid. AFESIP ontving discrete uitnodigingen om weer aan het werk te gaan, en de regering zegde toe de zaak door een team te laten onderzoeken en na te gaan of er ook corruptie aan te pas was gekomen.

Maanden later meldde de commissie dat men 'geen bewijs had' voor wat voor corruptie dan ook en ook geen bewijs dat er vrouwen gedwongen waren het opvanghuis te verlaten. Sommige mensen zijn gewoon een maatje te groot. Als ik namen zou noemen, heb ik morgen een kogel door mijn hoofd. Dan heb ik de grens die leven en dood in ons land van elkaar scheidt overschreden. Dat kan nog steeds gebeuren. Maar voor het zover is, heb ik in elk geval mijn zegje gedaan.

In bepaalde opzichten heeft de zaak van het Chai Hour 11 het systeem voor ons opengebroken. AFESIP kreeg vanaf dat moment aanzienlijk meer hulp van de autoriteiten. Maar anderhalf jaar later werden we opnieuw achtervolgd door de zaak van het Chai Hour 11, en wel op de meest gruwelijke, persoonlijke manier.

In juli 2006 was er een journalist, Mariane Pearl, in Phnom Penh, die mij voor het tijdschrift *Glamour* wilde interviewen. Tijdens dat interview belde de school van Ning. Ning was verdwenen. Ze was rond het middaguur van het schoolterrein af gegaan en niet meer teruggekomen. De mobiele telefoon die ik haar voor haar veertiende verjaardag had gegeven werd niet opgenomen. Ik raakte meteen in paniek. Ning is er niet het meisje naar om er zomaar vandoor te gaan. Het is een lief, liefhebbend kind. Ze heeft zo haar geheimpjes, maar ze zou mij nooit met opzet bezorgd maken.

Mijn eerste reactie was dat mijn grootste angst werkelijkheid was geworden: de handelaren hadden mijn kind te pakken. In Cambodja is dit geen vergezocht scenario. Elk jaar worden er duizenden meisjes ontvoerd en voor de prostitutie verkocht. De meesten zijn arm, maar mijn adoptiedochter was natuurlijk een speciaal doelwit. De haren rezen me te berge.

Ik belde Pierre, die tijdelijk in Thailand zat. Hij beloofde ogenblikkelijk terug naar Cambodja te vliegen. Toen belde ik iedereen die ik kende bij de politie en in de regering en vertelde hun wat er gebeurd was. En toen concentreerde ik al mijn aandacht op hoe we Ning moesten zoeken.

Dat is iets wat ik goed kan; ik weet hoe je meisjes in het prostitutienetwerk moet opsporen. Iedere onderzoeker die ooit voor AFESIP heeft gewerkt, ging langs bij iedere informant die ooit contact met ons had opgenomen. We hoorden al snel dat men Ning in een auto met verscheidene mensen erin had zien stappen, vlak voor haar school. Er zaten een vrouw en een paar mannen in de auto, en de vrouw was iemand die iets met het Chai Hour II te maken had.

Er gingen vier dagen voorbij vol hectische telefoongesprekken en de nog veel ergere angst van het wachten. In die vier dagen was Mariane Pearl een rots in de branding voor me. Ze vertelde me over de ontvoering van haar eigen man, Daniel Pearl, in 2002 in Pakistan, door islamitische milities. Ze hielp me mijn zelfbeheersing te bewaren.

Ik wist dat als Ning al naar Thailand was gebracht, we haar misschien kwijt zouden raken. Het eerste wat we deden was mensen met een foto van haar naar de grote grensplaatsen sturen. Onze enige hoop was dat ze nog in het land was; in dat geval zouden we haar misschien vinden en terugkrijgen.

Door heel nauw met de politie en autoriteiten samen te werken zijn we Ning eindelijk op het spoor gekomen en na drie dagen werden we herenigd. Ze had in Battambang gezeten, in handen van handelaren, samen met een jongen die ze kende. De jongen had haar ervan overtuigd dat hij om haar zelfmoord zou plegen, en omdat ze medelijden met hem had, was ze van school weggegaan om met hem te praten. Vervolgens had hij mijn dochter in een auto vol gewapende mannen laten stappen.

Ik realiseerde me niet dat Mariane over deze gebeurtenis zou schrijven, maar dat deed ze wel. Ik vind het jammer dat het privéleven van mijn dochter een publiek verhaal is geworden, en dat wil ik niet nog erger maken. De mensen die hierbij betrokken waren zijn inmiddels uit de gevangenis, hoewel het proces nog gevoerd moet worden. Het Chai Hour II is nog in bedrijf, nog steeds als bordeel. Het heet nu het Leang Hour. En de vrouw uit de auto is nooit gevonden.

15
Conclusie

Vandaag de dag hebben we in onze kinderopvanghuis in de provincie Kampong Cham een meisje van twaalf jaar met diepe, ronde littekens rond haar hals en bovenarmen, opgelopen toen een dronken klant haar pijn probeerde te doen. Een heel lief meisje van veertien, dat al bijna een jaar bij ons woont, was gek geworden. Toen we haar vonden, zat ze opgesloten in de kelder van een bordeel, en de eerste paar maanden sprak ze niet en had ze haar lichaam niet onder controle. Nu praat ze weer en heeft ze geleerd om in de keuken mee te helpen. Ze is heel lief, net een klein kind, maar ze slaat niet altijd zinnige taal uit. Ze is niet altijd zo geweest. We weten nog steeds niet echt wie ze is.

Soms word ik overspoeld door woede om wat deze kinderen hebben doorgemaakt. Ik praat met sommige meisjes en word overmand door het feit dat ik hetzelfde heb meegemaakt. Het vreet aan me, totdat ik bijna het gevoel heb dat ik ervan doordraai.

Hoe is het zo ver met Cambodja gekomen? Dertig jaar van bombardementen, genocide en hongersnood hebben mijn land in een toestand van moreel bankroet gebracht. De Khmer weten niet meer wie ze zijn.

Tijdens het regime van de Rode Khmer hebben de mensen zich losgemaakt van alle menselijke gevoelens, want voelen betekende pijn lijden. Ze leerden dat ze hun buren, hun vrienden, hun familie en hun eigen kinderen niet konden vertrouwen. Om niet gek te worden, schrompelden ze ineen tot het kleinste stukje van een mens, het 'ik'. Toen het regime gevallen was, waren ze stil, hetzij omdat ze zelf een aandeel aan de totstandkoming van de ellende hadden gehad, hetzij omdat ze nu eenmaal geleerd hadden dat je stil moest zijn wilde je overleven.

De Rode Khmer elimineerde alles wat er voor de Cambodjanen toe deed. Toen die uit het zadel geholpen was, interesseerden de mensen zich nog maar voor één ding: geld. Ik denk dat ze zichzelf een soort verzekering willen verschaffen voor het geval zich weer een ramp voordoet, ook al luidt de les van Pol Pot – als die al bestaat – dat je je tegen rampen nu eenmaal niet kunt verzekeren.

Momenteel is meer dan de helft van alle mensen in Cambodja na de val van de Rode Khmer geboren. Het zou dus beter moeten gaan. Maar het land verkeert in een chaos waarin maar één regel geldt: ieder voor zich. De mensen met macht werken niet altijd voor het algemeen belang. Toen ik jong was, waren we armer, maar onderwijs was in die tijd wel gratis. Tegenwoordig moet je voor school betalen, en kun je een diploma kopen – of er een gratis krijgen, als je je docent een wapen laat zien. In ons rechtssysteem is alles te koop en de maffia zit dicht tegen de macht aan; in de prostitutiebranche gaat 500 miljoen dollar per jaar om, bijna net zoveel als het jaarbudget van de regering.

Cambodjanen hebben altijd geleerd gehoorzaam te zijn, en ze zijn altijd arm geweest. In Cambodja sterft een op de acht kinderen voordat het de leeftijd van vijf jaar heeft bereikt. Het wemelt op straat van het afval, de vliegen en uitwerpselen, en de regen maakt daar één grote derrie van. Meer dan een derde van de bevolking leeft van minder dan één dollar per dag, en als je naar het ziekenhuis moet, moet je betalen.

Mannen hebben de macht. Niet altijd; ten overstaan van hun ouders houden ze zich gedeisd. Tegenover machtige mensen moeten ze zich ook stilhouden en misschien zelfs naar de grond buigen. Maar zodra deze ontmoetingen achter de rug zijn, gaan ze naar huis, waar ze weer de baas spelen en bevelen geven. Als hun vrouw zich verzet, slaan ze haar.

Voor vrouwen geldt er maar één wet: zwijgen vóór de verkrachting en zwijgen na de verkrachting. Ons is toen we klein waren geleerd dat we ons als de kapokboom moesten gedragen: *dam kor*. Doof en stom. En ook blind, graag. Je dochters zullen voor je zorgen, want dat is hun plicht. Verder ben je niet veel waard.

Een derde van de prostituees in Phnom Penh bestaat uit jonge kinderen. Deze meisjes worden verkocht, geslagen en misbruikt voor een soort genot. Ik geloof dat daar uiteindelijk geen uitleg of verklaring voor is, en ook niet voor de dakloze kinderen die door het afval schooien, die lijm uit busjes opsnuiven die je voor vijfhonderd riel bij elk kraampje met ijzerwaren kunt kopen, en ook niet voor de gestolen kinderen die ten behoeve van de moderne slavenhandel naar Thailand gebracht worden. Maar ik probeer het ook niet uit te leggen. Ik doe mijn best om niet op te vallen en probeer het ene na het andere meisje te helpen. Die taak is al groot genoeg.

Ik voel me nog steeds vies en heb nog steeds het gevoel dat ik ongeluk breng. Ik droom vaak van geweld en verkrachting. De meeste dromen zijn nachtmerries. Afgelopen nacht droomde ik weer dat er slangen mijn broek in kronkelden. Ik probeer me van die nachtmerries te ontdoen, maar ze blijven terugkomen.

Een psycholoog raadplegen is niet genoeg. Dat heb ik gedaan. Ik heb heel veel geprobeerd. Maar het verleden staat inmiddels in mijn lichaam gegrift. Als je de littekens op je huid ziet, van martelingen en brandende sigaretten, de vorm van de ketenen om je enkels, voel je dat het verleden zich nooit laat wegvagen. Je draagt de tekenen van je lijden met je mee. Ze zijn er gewoon. Maar dat is ook precies de reden waarom ik doorga met het werk van AFESIP.

Heel veel mensen spelen een rol bij ons werk om kinderen uit de seksslavernij te redden, maar ik ben wel eens bang dat de vrijwilligers zich superieur voelen aan de vrouwen die als prostituee hebben gewerkt. Ze kijken op hen neer. Bij mij is dat anders. Ik ben een van hen. Alles wat zij hebben doorgemaakt, heb ik ook doorgemaakt. Ik draag hun littekens op mijn lichaam en op mijn ziel. We hebben aan een half woord genoeg. We weten dat het leven een hel is, elke dag weer. Sommige medewerkers werken hier voor hun salaris; in hun hart begrijpen ze het niet.

Als ik mijn ogen dicht doe zie ik de lichamelijke martelingen weer. Die heb ik liever dan de psychische, zoals de angst die ik voelde toen mij verteld werd dat mijn gezin en medewerkers vermoord zouden worden. Maar zodra ik mijn ogen dicht doe, zie ik mannen die schoppen en slaan. Als je eraan terugdenkt wil je dood, maar je mag niet sterven. Je wilt verdwijnen, maar je kunt niet verdwijnen.

De herinneringen waar ik het meest onder lijd, zijn die aan de verkrachtingen en aan de stank van sperma. In bordelen nemen ze niet de moeite om de lakens regelmatig te verschonen. Overal hangt de geur van sperma. Die is niet te harden. Tot op de dag van vandaag heb ik vaak het gevoel dat ik de geur van de bordelen inadem. De klanten waren vies. Ze gingen nooit onder de douche. Ik herinner me nog een man met een vreselijk smerige adem. We hadden geen tandpasta, maar we poetsten onze tanden met as of zand. Sommige klanten verzorgden hun tanden helemaal niet; hun hele gebit was geel en rot.

Ik heb zo lang in die stank geleefd dat ik hem vandaag de dag niet meer verdraag. Het is vijftien jaar later, maar ik heb nog steeds het gevoel dat die me bezoedelt. Dus was ik mezelf als een bezetene, smeer me in met crème en doe eau de toilette op om de stank die me achtervolgt toch vooral te maskeren. Thuis heb ik een kast vol parfum. Ik geef veel geld uit om een geur uit te bannen die alleen in mijn verbeelding bestaat. Ik probeer hem met de inhoud van mijn flesjes te verjagen.

Door dit boek te schrijven is alles weer bij me teruggekomen en kan ik niet meer slapen. Ik word er misselijk van. Door me alle verschrikkingen te herinneren heb ik nachtmerries gekregen. Soms weet ik niet of ik het leven met die nachtmerries nog wel aankan. Er zijn momenten waarop ik me het liefst van die drukkende last van mijn herinnering wil ontdoen, van de roep van mijn ellende die me dwingt de ene douche na de andere te nemen, mezelf zo hard mogelijk schoon te boenen en me dan helemaal in te smeren en te overladen met parfum. Wat heeft zo'n bestaan voor zin? Wat kun je ermee doen, behalve huilen? Zijn mijn vriendinnen die zijn gestorven en er nu van zijn bevrijd, gelukkiger dan ik? Ik zou graag een gelukkig leven willen leiden, maar de problemen zijn er, kijken ons onophoudelijk aan, vragen onze energie, onze voortdurende inzet, en zelfs onze wanhoop. Het verleden is verleden, je moet alles achter je laten – dat hou ik de meisjes altijd voor die met hun ondraaglijke lijden naar ons centrum komen.

Ik kan het allemaal wel zeggen, maar ik weet ook dat het zinloos is. Deze oude wonden zijn door niets dicht te schroeien. Als ik Pierre of mijn goede vrienden toevertrouw dat ik me smerig voel, zeggen ze dat het niet waar is, dat ik in hun ogen dit of dat ben, maar niet smerig. Aan die woorden heb ik niets. De enige mensen tegen wie ik kan zeggen dat ik me smerig voel en die me begrijpen, zijn de meisjes die hetzelfde pad bewandeld hebben als ik.

Journalisten maken het in zekere zin moeilijk, hoewel ik hun erg dankbaar ben. Dankzij de aandacht van de kranten over de hele wereld kon onze stichting zijn werk voortzetten. Maar verslaggevers willen vaak een 'sexy' project, iets spannends, iets wat de aandacht van de lezers en kijkers vasthoudt. Ze vragen of ik over mijn verleden wil vertellen – want hoe moeten ze anders overbrengen hoe belangrijk ons werk is?

Dat is een van de redenen waarom ik besloten heb dit boek te schrijven. Misschien hoef ik hierna mijn verhaal niet steeds opnieuw te vertellen, want het is erg zwaar voor me om het telkens te moeten opdissen. En op een dag ben ik er niet meer, dus ik wil dat iedereen weet wat er op dit moment met de vrouwen van Cambodja gebeurt. Gezien de situatie in mijn land is het maar helemaal de vraag wie er morgen nog in leven is.

Toen we net met dit werk begonnen waren, slaagden we er niet in de kleine bordelen gesloten te krijgen. We hadden niet genoeg ervaring en de pooiers en meebons lachten ons gewoon uit. Maar na verloop van tijd, met veel inzet en steun, lukte het ons toch. Nu vormen de grote bordelen de uitdaging.

We moeten stap voor stap te werk gaan. We zijn nu al tien jaar bezig, maar pas de afgelopen drie jaar zijn we goed met de politie gaan samenwerken. Het rechtssysteem begint ook al wat te verbeteren. Als er vandaag de dag een AFESIP-geval is, zijn sommige rechters voorzichtiger, want ze weten dat wij het er niet snel bij laten zitten. En er zijn ook mensen in de regering die me helpen; als we de steun van de regering niet hadden kwam er niets van ons werk terecht.

Ik heb nooit een publiek persoon willen worden; het is gewoon zo gelopen. Mijn droom is eigenlijk om net zo te zijn als die oude man die me over de kikkers en de koning vertelde: ik zou graag een rustig leven willen leiden, in een tuin, met al mijn kinderen en de meisjes uit Thlok Chhrov om me heen. Ik zou grootmoeder en overgrootmoeder zijn en ik zou gelukkig zijn, en iemand anders zou het werk van me overgenomen hebben en alles regelen. Maar voorlopig ziet het daar niet naar uit.

Ik heb dit boek om verschillende redenen geschreven. Ik wil dat mensen zich realiseren in welke mate prostituees tot slachtoffer gemaakt worden en hoe belangrijk het is om hen te helpen. Deze vrouwen en meisjes zijn door hun ervaringen getekend voor het leven, en het is heel moeilijk voor ze om ook maar een klein beetje geluk te vinden. Het is gewoonweg niet waar, zoals sommige mensen denken, dat de meisjes blij zijn dat ze werk hebben, dat ze het uit vrije wil doen, dat ze goed betaald worden.

Mensen denken dat prostituees onbetrouwbaar en oneerlijk zijn. Ze denken dat deze meisjes hard en onhandelbaar zijn. We hebben in Cambodja een gezegde: 'Probeer de *sroleuw*-boom niet te buigen, probeer een hoer niet te veranderen.' Maar het is juist andersom, prostituees zijn vaak eerlijke meisjes van het platteland, en de meesten zouden alles doen om de ellende die ze in de bordelen moeten doorstaan achter zich te laten.

Mijn verhaal is niet belangrijk. Het gaat niet om wat er met mij is gebeurd. Ik heb mijn verhaal opgetekend om licht te werpen op het leven van duizenden andere vrouwen. Zij hebben geen stem, dus laat dit ene leven hun verhalen dan maar vertegenwoordigen.

Namens hen zou ik willen dat dit boek regeringen over de hele wereld ertoe aanzet om zich in te zetten voor de strijd tegen seksuele uitbuiting van vrouwen en kinderen. Slachtoffers zijn slachtoffers, in welk land ook.

Ik heb onlangs een stichting in de Verenigde Staten in het leven geroepen die hopelijk aan ons werk zal bijdragen. Ik wil een stuk grond kopen dat zo groot is dat de meisjes uit ons centrum in Thlok Chhrov, die bij ons zijn opgegroeid, het samen kunnen bewerken. AFESIP houdt zich bezig met kortetermijnhulp: we kunnen een meisje niet eindeloos blijven steunen. We kunnen haar opleiding maar tot een bepaald niveau financieren, ze kan niet voor altijd bij ons blijven wonen, ook al zijn we de enige familie die ze heeft. Onze nieuwe stichting levert steun op de langere termijn en kan ook andere vrouwen helpen – ex-prostituees, maar ook wezen, etnische minderheden, bejaarden. We hebben hem de Somaly Mam-stichting genoemd, omdat mijn bekendheid goed is voor de fondsenwerving, maar ik hoop dat de slachtoffers hem zelf draaiende zullen houden.

Voorlopig winnen onze tegenstanders de oorlog, maar wij hebben in elk geval één gevecht gewonnen. Ze hebben hun gezicht en hun respect verloren. We hebben onderzoek gedaan naar deze handel, die aan de kaak gesteld en laten zien dat het iets is om je diep voor te schamen. We hebben laten zien dat deze mensen niet onoverwinnelijk zijn, en ik ben blij dat ons dat is gelukt.

Mensen vragen me wel eens hoe ik het allemaal volhoud. Dat zal ik u vertellen. Het kwaad dat mij aangedaan is, stuwt me voort. Hoe zou ik dat anders moeten uitdrijven?

Dankwoord

Ik wil graag alle slachtoffers bedanken voor hun moed en voor het vertrouwen dat ze mij gegeven hebben. Ik hou van hen zoals ik van mijn eigen kinderen hou en ik ben heel trots op ze.

Mijn speciale dank gaat uit naar alle mensen die mij hebben geholpen bij mijn werk en die AFESIP hebben geholpen in onze strijd tegen seksslavernij. De menselijkheid, de warmte en de vrijgevigheid die zij voor onze zaak getoond hebben ontroeren mij diep.

Er zijn heel veel speciale mensen over de hele wereld die ik zou willen bedanken. Het voert te ver om hier iedereen te noemen, maar ik wil dat zij weten dat ik hen in mijn hart draag. De steun van sommige mensen is van cruciaal belang geweest: Emma Bonino, die ons helemaal in het begin al de reikende hand heeft toegestoken. Koningin Sofia van Spanje is onverzettelijk geweest in haar mededogen en heeft mij vanaf onze allereerste ontmoeting de hoop op een nieuw leven gegeven. De Lexis Nexis Corporation is met hun mondiale toewijding aan wetgeving en aan mensenrechten een bron van inspiratie geweest, en dan met name Andy Prozes, Robert Rigby-Hall en Bill Livermore, die ik vertrouw en respecteer als een broer.

Ik ben iedereen bij *Glamour* heel dankbaar, vooral Cindi Leive en Mariane Pearl, voor hun vriendschap en steun. Mijn innige dank gaat uit naar Vital Voices, en dan met name naar Alyse Nelson Bloom, Susan Sarandon, Barbara Walters, Queen Latifah, Petra Nemcova, Daryl Hannah, Nicholas Kristof, Ayaan Hirsi Ali, Diane von Furstenberg, Norman Jean Roy en Jojo, Michael Angelo, Kerry Girvin, Jack Milon, Alice Kendall, Ernesto Carlos Gerardo, de familie Lumpp, Renée en Anne Daurelle en Catherine Madar en haar twee dochters in Parijs. Iedereen heeft een heel druk leven, maar toch hebben ze me veel van hun tijd, hun liefde, hun energie gegeven. Dank jullie wel.

Nic Lumpp en Jared Greenberg hebben de Somaly Mam-stichting opgericht en alle bestuursleden hebben een onvermoeibare inzet aan den dag gelegd om voor onze missie in de Verenigde Staten aandacht te krijgen. Ze hebben bewezen dat je met toewijding en zuivere wilskracht een enorme verandering teweeg kunt brengen.

De Cambodjaanse regering heeft alles in het werk gesteld, buiten haar mandaat om, om mijn dochter terug te brengen. Daarvoor sta ik eeuwig bij u in het krijt.

Ik wil ook graag de mensen bedanken die geholpen hebben dit boek tot stand te brengen: Katrin Hodapp, mijn zusje; Alain Carrière, mijn Franse uitgever, die ik als een adoptiegrootvader beschouw; Ruth Marshall, die me het zelfvertrouwen gegeven heeft dat ik nodig had om deze woorden te vinden; en Susanna Lea, wier gedrevenheid voor vrouwenkwesties ik zeer bewonder.

Mijn liefde gaat uit naar mijn mooie zusjes Chenda Sophea en Ouk Vongvathany, en naar mijn liefste vrienden Kimleng, Chantha, Kien Sereyphal, Sapor, Sofia en Emmanuel Colineau voor jullie moed, vriendelijkheid en goede zorgen. Jullie zijn in donkere tijden een niet-aflatende bron van troost geweest.

Ik wil mijn adoptiefamilieleden bedanken, die me in hun

hart hebben opgenomen en die me de waarden van stilzwijgen, eerlijkheid en hard werken hebben geleerd.

En Pierre, dank je wel dat je me gered hebt. Ik zal altijd respect voor je voelen en ik ben heel blij dat je de vader van mijn
prachtige kinderen bent.

Maar ik bedank vooral mijn drie kinderen dat ze zoveel geduld met me hebben en dat ze me geleerd hebben om lief te
hebben.

Nawoord

Ik voel me vandaag de dag sterker dan toen ik dit boek net geschreven had. 2008 was voor mij een jaar van ontdekking en hoop. Ik ben uitgenodigd in steden over de hele wereld en overal heb ik mensen ontmoet die met open hart en heldere blik naar me geluisterd hebben. Velen van hen zijn vrienden en bondgenoten geworden.

In Zweden heb ik de World Children's Prize for the Rights of the Child ontvangen. Op deze onderscheiding ben ik bijzonder trots, omdat die door kinderen is uitgereikt; wereldwijd hebben zesenhalf miljoen kinderen hun stem uitgebracht. Ik moet me wel sterker voelen, nu ik weet dat deze kinderen zich ervan bewust zijn wat er aan de andere kant van de wereld gebeurt en dat zij mij hun steun hebben betuigd.

In Duitsland is AFESIP onderscheiden met de Roland Berger Prijs voor Human Dignity. De prijs ging vergezeld van een zeer genereuze financiële bijdrage – die we hard nodig hadden – maar vooral de naam van de prijs is mij dierbaar. We hebben in het verleden wel prijzen en onderscheidingen ontvangen voor onze activiteiten ten behoeve van mensenrechten, maar dat we deze onderscheiding voor menselijke waardigheid kregen raakte me meer dan welke andere prijs ook. Als je in een bordeel zit krijg je van niemand waardigheid.

In Washington DC ben ik onderscheiden met de Global Leadership Award 2009 van Vital Voices, samen met Hilary

Clinton, Temituokpe Esisi uit Nigeria, Sadiqua Basiri Saleem uit Afganistan, Marceline Kongolo-Bicé en Chouchou Namegabe Nabintu uit de Democratische Republiek Kongo. Dat was een inspirerende én nederig makende ervaring. Vital Voices wil vrouwelijke leiders over de hele wereld aandacht geven, opleiden en mondig maken. Het was heel ontroerend om samen met deze machtige vrouwen in de schijnwerpers te staan en ervaringen met elkaar uit te wisselen. Er is veel gesproken over hoe vrouwen onze wereld kunnen helpen verbeteren, maar ik was blij dat Ben Affleck zei dat mannen ook verantwoordelijk zijn: deze wereld is van ons samen.

Ik ben heel dankbaar dat ik de gelegenheid heb gekregen om te reizen, om mijn boodschap wereldkundig te maken, om de steun en de ogen van de wereld naar Cambodja toe te trekken en de wereldleiders ervan te proberen overtuigen dat de vrouwen in Cambodja er ook toe doen. Maar als ik ver van huis ben mis ik de meisjes en vrouwen in onze opvangcentra. Dan maak ik me zorgen om hem. Ik popel om terug te gaan, bij hen te zijn en te zorgen dat hun niets overkomt.

We hebben het afgelopen jaar moeilijke tijden beleefd. Toen ik dit boek net geschreven had, ging het met Kolap bijvoorbeeld heel goed op school en ze wende al aardig aan het leven in ons opvangcentrum. Ze hield zich aan haar belofte aan haar zusje en ging terug om haar op te halen en naar het opvanghuis te brengen. Maar haar moeder werd boos en zei dat ze haar dochter stal – haar bron van inkomen. Zelfs in de meest liefdevolle omgeving lijken oude gewoonten en patronen soms niet uit te roeien. Het eind van het liedje was dat Kolap het opvanghuis verliet; ze is weggelopen zonder ons iets over haar plannen te vertellen en ging in een fabriek werken. Het heeft maanden geduurd voordat we haar gevonden hadden, en ik als ik aan haar leefomstandigheden denk word ik misselijk en boos op haar moeder die haar dochter gemanipuleerd heeft en haar toekomst heeft laten opofferen om er zelf beter van te worden.

Kolap is inmiddels uit vrije beweging weer bij ons teruggekomen. Zij en haar zusje zijn nu veilig, en ze is in opleiding om met andere slachtoffers te werken. Ze is een stuk volwassener geworden. Ik ben heel trots op haar. Soms kun je zelfs van een slechte ervaring iets leren; door ermee te leren omgaan word je sterker. Maar het gaat niet weg, het wordt alleen hanteerbaarder. Kolap leert van haar ervaringen. Ze wordt een vrouw.

De Somaly Mam-stichting beschouwt het als zijn missie om slachtoffers en overlevenden van seksslavernij een stem te geven. We proberen hen te redden en hen te helpen een waardig leven te leiden – net als Kolap, die binnenkort meisjes als zijzelf zal redden. Het is ons doel om een eind te maken aan slavernij, om een wereld te creëren waarin vrouwen en kinderen niet meer als seksslavin kunnen worden verkocht.

Ik wil graag iedereen bedanken die ons steunt, en andere groepen zoals de onze. We rekenen op u. We werken het grootste deel van de tijd in afzondering, en dat kan heel gevaarlijk en moedeloos makend zijn. De wetenschap dat dit werk u aan het hart gaat geeft ons kracht en moed, en de troostrijke gedachte dat we niet alleen zijn. Ik ben er diep van overtuigd dat liefde het antwoord is en dat liefde zelfs de diepste, onzichtbare wonden kan genezen. Liefde kan genezen, liefde kan troosten, liefde kan sterker maken en ja, liefde kan je leven veranderen.

Over de auteur

Somaly Mam is medeoprichtster en voorzitter van AFESIP (Actief voor Vrouwen in Nood) in Cambodja en voorzitter van de Somaly Mam-Stichting in de Verenigde Staten. Onder haar leiding proberen deze twee organisaties slachtoffers van seksslavernij in Zuidoost-Azië te redden, te rehabiliteren en te reïntegreren in de maatschappij. Tot op heden hebben ze al meer dan 5000 vrouwen en kinderen gered. In 2006 werd Mam uitgeroepen tot CNN Hero en tot *Glamour* Vrouw van het Jaar. Ze heeft ook in 2008 van World Children's Prize for the Rights of the Child Award en de Human Dignity Award van Roland Berger ontvangen. In 2009 is Mam door *Time Magazine* tot een van de honderd meest invloedrijke mensen uitgeroepen. Ze woont in Cambodja.